Collection dirigée pa

Émile Zola

Madame Sourdis et autres nouvelles

classiques Hatier

Texte intégral

Un genre

La nouvelle

) Hatier
'aris 2006
SBN 2-218-**92172**-3
SSN 0184 0851

Dominique Guerrini
agrégée de lettres modernes

L'air du temps

La parution des nouvelles

■ *Madame Sourdis*, composée en mars 1880 pour *Le Messager de l'Europe*, journal de Saint-Pétersbourg, évoque le milieu de la peinture et le personnage de l'artiste.

■ *Un mariage d'amour* (décembre 1866, *Le Figaro*) est le canevas du premier grand roman de Zola, *Thérèse Raquin*, et traite le thème de l'impossibilité du bonheur dans le crime.

■ Dans *Les Coquillages de M. Chabre* (1883, *Le Messager de l'Europe*), Zola évoque avec humour le mariage d'un barbon trompé avec astuce par sa jeune femme.

■ Dans *Le Grand Michu* (1874, *Nouveaux Contes à Ninon*) Zola se montre socialement engagé, sensible au sort des humbles.

À la même époque...

■ **En politique**
1870 : IIIe République.
1870-1871 : guerre contre la Prusse.
1881 : Loi Jules Ferry sur l'instruction publique (gratuite, obligatoire, laïque).

■ **En littérature**
1857 : *Madame Bovary* de Flaubert.
1867 : *Thérèse Raquin*, premier grand roman de Zola.
1877 : *L'Assommoir*, premier grand succès de Zola.
1880 : *Le Roman expérimental* de Zola, manifeste du naturalisme.
1886 : *L'Œuvre* de Zola.

■ **En peinture**
1863 : premier Salon des refusés où exposent les peintres refusés au Salon officiel.
1880 : *Le Château de Médan* de Cézanne (ami de Zola).

Sommaire

Introduction

Émile Zola (1840-1902)

Qui est Émile Zola ?

Fils d'un ingénieur italien, Émile Zola est né à Paris, mais la famille s'installe bientôt à Aix-en-Provence. Alors que Zola est âgé de sept ans, son père meurt brutalement. La mère et le fils sont confrontés à de graves difficultés d'argent.

À dix-huit ans, après avoir fait ses études au collège d'Aix-en-Provence, Zola rejoint sa mère à Paris, où il vit pendant des années de « vache enragée » (voir *Madame Sourdis*, l. 351). Il travaille d'abord comme commis à la librairie Hachette, puis comme journaliste. Son ambition, son énergie, sa grande capacité de travail lui permettent toutefois de se consacrer à l'écriture : il quitte la presse et décide de vivre de sa plume.

Sur le plan privé, il se marie à trente ans avec Gabrielle-Alexandrine Meley. À quarante-huit ans, il mènera une double vie avec Jeanne Rozerot, une jeune lingère dont il aura deux enfants.

Émile Zola, photographie de Nadar (1895).

L'héritage littéraire et les débuts de l'écrivain

Les maîtres de Zola en littérature sont Victor Hugo (dont il admire particulièrement la grande fresque romanesque, *Les Misérables*), Balzac (dont l'œuvre colossale, *La Comédie humaine*, tente de décrire la société sous tous ses aspects), et Flaubert (*Madame Bovary*).
À vingt-quatre ans, il publie un recueil de nouvelles, *Les Contes à Ninon*, et collabore à plusieurs journaux. Trois ans plus tard, en 1867, il écrit son premier roman, *Thérèse Raquin*, et, dès 1868, il conçoit son œuvre maîtresse : *Les Rougon-Macquart*.

La grande œuvre de Zola : *Les Rougon-Macquart*

Influencé par les travaux scientifiques de son époque, notamment par les sciences expérimentales de Claude Bernard, il entreprend d'écrire l'*Histoire naturelle et sociale d'une famille sous le second Empire*, œuvre monumentale qui retrace le destin d'une famille sur plusieurs générations : les Rougon-Macquart. Zola écrira vingt romans en vingt-deux ans, dont les plus célèbres sont *L'Assommoir* (qui décrit le monde ouvrier) et *Germinal* (qui plonge dans l'univers des mines). Dès le deuxième roman du cycle, *La Curée*, Émile Zola déchaîne critiques et passions.

Le chef de file du naturalisme

Enthousiasmé par les avancées scientifiques de son époque, en particulier par la méthode expérimentale fondée sur l'observation, les travaux sur le milieu social et l'hérédité, Zola va tenter de les appliquer à la littérature. Il définit alors le projet naturaliste qui consiste à observer des personnages et à démontrer que leur destin est déterminé par leur milieu social et familial, leur hérédité et leur tempérament. Cette approche volontairement scientifique repose sur l'observation du réel. C'est en cela que sa démarche s'inscrit dans le mouvement réaliste. Il théorise ses idées dans *Le Roman expérimental* (1880), qui sont à l'opposé des idées romantiques et symbolistes.
Les romans de Zola, du fait du réalisme des descriptions et de la crudité du langage, ont suscité de vives critiques : accusation d'obscénité,

de trivialité, d'immoralité… Mais Zola a aussi fait des émules : il réunit autour de lui, dans sa maison de campagne de Médan, des écrivains comme Alphonse Daudet, les frères Goncourt, Guy de Maupassant, ou encore Joris-Karl Huysmans, qui s'ouvrent aux théories naturalistes.

Le naturalisme de Zola : de la réalité à la vision

Au-delà de l'approche scientifique, qui a ses limites en littérature, Zola est un génie de l'écriture : loin de s'en tenir à la stricte observation de la réalité, il transforme le réel en lui donnant une dimension visionnaire et épique. Le procédé qu'il affectionne consiste à animer objets, lieux et machines (par exemple, la locomotive dans *La Bête humaine*, ou la mine dans *Germinal*) et à mettre en scène la profusion du monde et des choses : ainsi, les étalages des Halles dans *Le Ventre de Paris*, ou les rayons du grand magasin dans *Au bonheur des dames*, semblent prendre vie.

L'écrivain engagé

Zola, soucieux du sort des classes sociales défavorisées et sensible à toutes les injustices, a des idées proches du socialisme. L'affaire Dreyfus, cas exemplaire d'injustice politique et judiciaire (l'officier Dreyfus fut injustement accusé de trahison), lui donnera l'occasion de manifester, dans le célèbre article « J'accuse » (paru le 13 janvier 1898 dans le journal *L'Aurore*), son engagement et ses talents de polémiste. Condamné, il s'exilera en Angleterre pendant près d'un an.

Zola et la peinture

Ami d'enfance de Cézanne, Zola se lie à Paris avec les peintres de l'époque, les impressionnistes Monet, Renoir, Pissarro, et surtout Manet, qu'il défendra envers et contre tous. Il écrit de nombreux commentaires sur les œuvres et peintres de l'époque, et milite contre l'académisme (peinture conventionnelle et sans originalité). Cet intérêt pour la création artistique apparaît dans *Madame Sourdis* et dans *L'Œuvre*, roman dont le héros, le peintre Claude Lantier, rappelle Cézanne.

Émile Zola

Madame Sourdis

et autres nouvelles

Portrait d'Émile Zola par Édouard Manet, 1868. Huile sur toile, musée d'Orsay, Paris.

Nouvelle 1

Madame Sourdis

I

Tous les samedis, régulièrement, Ferdinand Sourdis venait renouveler sa provision de couleurs et de pinceaux dans la boutique du père Morand, un rez-de-chaussée noir et humide, qui dormait sur une étroite place de Mercœur, à l'ombre d'un ancien couvent transformé en collège communal. Ferdinand, qui arrivait de Lille, disait-on, et qui depuis un an était « pion » au collège, s'occupait de peinture avec passion, s'enfermant, donnant toutes ses heures libres à des études[1] qu'il ne montrait pas.

Le plus souvent, il tombait sur Mlle Adèle, la fille du père Morand, qui peignait elle-même de fines aquarelles, dont on parlait beaucoup à Mercœur. Il faisait sa commande.

« Trois tubes de blanc, je vous prie, un d'ocre jaune, deux de vert Véronèse. »

Adèle, très au courant du petit commerce de son père, servait le jeune homme, en demandant chaque fois :

« Et avec ça ?

– C'est tout pour aujourd'hui, mademoiselle. »

Ferdinand glissait son petit paquet dans sa poche, payait avec une gaucherie[2] de pauvre qui craint toujours de rester en affront[3], puis s'en allait. Cela durait depuis une année, sans autre événement.

La clientèle du père Morand se composait bien d'une douzaine de personnes. Mercœur, qui comptait huit mille

âmes, avait une grande réputation pour ses tanneries ; mais

1. Essais.
2. Gêne, maladresse.
3. D'être humilié en n'ayant pas de quoi payer.

les beaux-arts y végétaient. Il y avait quatre ou cinq galopins qui barbouillaient, sous l'œil pâle d'un Polonais, un homme sec au profil d'oiseau malade ; puis, les demoiselles Lévêque, les filles du notaire, s'étaient mises « à l'huile », mais cela causait un scandale. Un seul client comptait, le célèbre Rennequin, un enfant du pays qui avait eu de grands succès de peintre dans la capitale, des médailles, des commandes, et qu'on venait même de décorer. Quand il passait un mois à Mercœur, au beau temps, cela bouleversait l'étroite boutique de la place du Collège. Morand faisait venir exprès des couleurs de Paris, et il se mettait lui-même en quatre, et il recevait Rennequin découvert[4], en l'interrogeant respectueusement sur ses nouveaux triomphes. Le peintre, un gros homme bon diable[5], finissait par accepter à dîner et regardait les aquarelles de la petite Adèle, qu'il déclarait un peu pâlottes, mais d'une fraîcheur de rose.

« Autant ça que de la tapisserie, disait-il en lui pinçant l'oreille. Et ce n'est pas bête, il y a là-dedans une petite sécheresse, une obstination qui arrive au style… Hein ! travaille, et ne te retiens pas, fais ce que tu sens. »

Certes, le père Morand ne vivait pas de son commerce. C'était chez lui une manie ancienne, un coin d'art qui n'avait pas abouti, et qui perçait aujourd'hui chez sa fille. La maison lui appartenait, des héritages successifs l'avaient enrichi, on lui donnait de six à huit mille francs[6] de rente. Mais il n'en tenait pas moins sa boutique de couleurs, dans son petit salon du rez-de-chaussée, dont la fenêtre servait de vitrine : un étroit étalage, où il y avait des tubes, des bâtons d'encre de Chine, des pinceaux, et où de temps à autre paraissaient des aquarelles d'Adèle, entre des petits tableaux de sainteté, œuvres du Polonais. Des journées se passaient, sans qu'on vît un

4. Tête nue.
5. Brave homme.
6. En 1880, 1 franc correspond à 2,30 euros actuels ; 6 000 francs à 13 800 euros.

acheteur. Le père Morand vivait quand même heureux, dans l'odeur de l'essence, et lorsque Mme Morand, une vieille femme languissante, presque toujours couchée, lui conseillait de se débarrasser du « magasin », il s'emportait, en homme qui a la vague conscience de remplir une mission. Bourgeois et réactionnaire[7], au fond, d'une grande rigidité dévote, un instinct d'artiste manqué le clouait au milieu de ses quatre toiles. Où la ville aurait-elle acheté des couleurs ? À la vérité, personne n'en achetait, mais des gens pouvaient en avoir envie. Et il ne désertait pas.

C'était dans ce milieu que Mlle Adèle avait grandi. Elle venait d'avoir vingt-deux ans. De petite taille, un peu forte, elle avait une figure ronde agréable, avec des yeux minces ; mais elle était si pâle et si jaune, qu'on ne la trouvait pas jolie. On aurait dit une petite vieille, elle avait déjà le teint fatigué d'une institutrice vieillie dans la sourde[8] irritation du célibat. Pourtant, Adèle ne souhaitait pas le mariage. Des partis s'étaient présentés, qu'elle avait refusés. On la jugeait fière, elle attendait un prince, sans doute ; et de vilaines histoires couraient sur les familiarités paternelles que Rennequin, un vieux garçon débauché, se permettait avec elle. Adèle, très fermée, comme on dit, silencieuse et réfléchie d'habitude, paraissait ignorer ces calomnies. Elle vivait sans révolte, habituée à l'humidité blême de la place du Collège, voyant à toutes heures devant elle, depuis son enfance, le même pavé moussu, le même carrefour sombre où personne ne passait ; deux fois par jour seulement, les galopins de la ville se bousculaient à la porte du collège ; et c'était là son unique récréation. Mais elle ne s'ennuyait jamais, comme si elle eût suivi, sans un écart, un plan d'existence arrêté en elle depuis longtemps. Elle avait beaucoup de volonté et beaucoup d'ambi-

7. Conservateur, hostile aux nouveautés. | 8. Vague, cachée.

tion, avec une patience que rien ne lassait, ce qui trompait les gens sur son véritable caractère. Peu à peu, on la traitait en vieille fille. Elle semblait vouée pour toujours à ses aquarelles. Cependant, quand le célèbre Rennequin arrivait et parlait de Paris, elle l'écoutait, muette, toute blanche, et ses minces yeux noirs flambaient.

« Pourquoi n'envoies-tu pas tes aquarelles au Salon[9] ? lui demanda un jour le peintre, qui continuait à la tutoyer en vieil ami. Je te les ferai recevoir. »

Henri Fantin-Latour, *L'Étude* (portrait de Miss Budgett), 1883.

9. Exposition généralement annuelle d'œuvres d'artistes vivants, qui se tient à Paris.

Mais elle eut un haussement d'épaules et dit avec une modestie sincère, gâtée pourtant par une pointe d'amertume :

« Oh ! de la peinture de femme, ça ne vaut pas la peine. »

100 La venue de Ferdinand Sourdis fut toute une grosse affaire pour le père Morand. C'était un client de plus, et un client très sérieux, car jamais personne à Mercœur n'avait fait une telle consommation de tubes. Pendant le premier mois, Morand s'occupa beaucoup du jeune homme, surpris de cette 105 belle passion artistique chez un de ces « pions », qu'il méprisait pour leur saleté et leur oisiveté, depuis près de cinquante ans qu'il les voyait passer devant sa porte. Mais celui-ci, à ce qu'on lui raconta, appartenait à une grande famille ruinée ; et il avait dû, à la mort de ses parents, accepter une situation 110 quelconque, pour ne pas mourir de faim. Il continuait ses études de peinture, il rêvait d'être libre, d'aller à Paris, de tenter la gloire. Une année se passa. Ferdinand semblait s'être résigné, cloué à Mercœur par la nécessité du pain quotidien. Le père Morand avait fini par le mettre dans ses habitudes, 115 et il ne s'intéressait plus autrement à lui.

Un soir, cependant, une question de sa fille lui causa un étonnement. Elle dessinait sous la lampe, s'appliquant à reproduire avec une exactitude mathématique une photographie d'après un Raphaël[10], lorsque, sans lever la tête, elle dit, après 120 un long silence :

« Papa, pourquoi ne demandes-tu pas une de ses toiles à M. Sourdis ?... On la mettrait dans la vitrine.

– Tiens ! c'est vrai, s'écria Morand. C'est une idée... Je n'ai jamais songé à voir ce qu'il faisait. Est-ce qu'il t'a montré 125 quelque chose ?

– Non, répondit-elle. Je dis ça en l'air... Nous verrons au moins la couleur de sa peinture. »

10. Peintre italien de génie du XVIe siècle.

Ferdinand avait fini par préoccuper Adèle. Il la frappait vivement par sa beauté de jeune blond, les cheveux coupés
130 ras, mais la barbe longue, une barbe d'or, fine et légère, qui laissait voir sa peau rose. Ses yeux bleus avaient une grande douceur, tandis que ses petites mains souples, sa physionomie tendre et noyée, indiquaient toute une nature mollement voluptueuse. Il ne devait avoir que des crises de volonté. En
135 effet, à deux reprises, il était resté trois semaines sans paraître; la peinture était lâchée, et le bruit courait que le jeune homme menait une conduite déplorable, dans une maison qui faisait la honte[11] de Mercœur. Comme il avait découché deux nuits, et qu'un soir il était rentré ivre mort, on avait parlé même un
140 instant de le renvoyer du collège; mais, à jeun, il se montrait si séduisant, qu'on le gardait, malgré ses abandons. Le père Morand évitait de parler de ces choses devant sa fille. Décidément, tous ces « pions » se valaient, des êtres sans moralité aucune; et il avait pris devant celui-ci une attitude rogue[12]
145 de bourgeois scandalisé, tout en gardant une tendresse sourde pour l'artiste.

Adèle n'en connaissait pas moins les débauches de Ferdinand, grâce aux bavardages de la bonne. Elle se taisait, elle aussi. Mais elle avait réfléchi à ces choses, et s'était senti une
150 colère contre le jeune homme, au point que, pendant trois semaines, elle avait évité de le servir, se retirant dès qu'elle le voyait se diriger vers la boutique. Ce fut alors qu'elle s'occupa beaucoup de lui et que toutes sortes d'idées vagues commencèrent à germer en elle. Il était devenu intéressant.
155 Quand il passait, elle le suivait des yeux; puis, réfléchissait, penchée sur ses aquarelles, du matin au soir.

« Eh bien ! demanda-t-elle le dimanche à son père, est-ce qu'il t'apportera un tableau ? »

11. Maison de rencontres.

12. Hargneuse, désagréable.

La veille, elle avait manœuvré de façon à ce que son père se trouvât à la boutique, lorsque Ferdinand s'était présenté.

« Oui, dit Morand, mais il s'est fait joliment prier… Je ne sais pas si c'est de la pose[13] ou de la modestie. Il s'excusait, il disait que ça ne valait pas la peine d'être montré… Nous aurons le tableau demain. »

Le lendemain, comme Adèle rentrait le soir d'une promenade aux ruines[14] du vieux château de Mercœur, où elle était allée prendre un croquis, elle s'arrêta, muette et absorbée, devant une toile sans cadre, posée sur un chevalet, au milieu de la boutique. C'était le tableau de Ferdinand Sourdis. Il représentait le fond d'un large fossé, avec un grand talus vert, dont la ligne horizontale coupait le ciel bleu ; et là une bande de collégiens en promenade s'ébattait, tandis que le « pion » lisait, allongé dans l'herbe : un motif que le peintre avait dû dessiner sur nature. Mais Adèle était toute déconcertée par certaines vibrations de la couleur et certaines audaces de dessin, qu'elle n'aurait jamais osées elle-même. Elle montrait dans ses propres travaux une habilité extraordinaire, au point qu'elle s'était approprié le métier[15] compliqué de Rennequin et de quelques autres artistes dont elle aimait les œuvres. Seulement, il y avait dans ce nouveau tempérament qu'elle ne connaissait pas, un accent personnel qui la surprenait.

« Eh bien ! demanda le père Morand, debout derrière elle, attendant sa décision. Qu'en penses-tu ? »

Elle regardait toujours. Enfin, elle murmura, hésitante et prise[16] pourtant :

« C'est drôle… C'est très joli… »

Elle revint plusieurs fois devant la toile, l'air sérieux. Le lendemain, comme elle l'examinait encore, Rennequin, qui

13. Attitude affectée, peu naturelle.
14. Thème d'inspiration conventionnel des peintres classiques.
15. Technique, manière de peindre.
16. Séduite.

se trouvait justement à Mercœur, entra dans la boutique et
190 poussa une légère exclamation :

« Tiens ! qu'est-ce c'est que ça ? »

Il regardait, stupéfait. Puis, attirant une chaise, s'asseyant devant la toile, il détailla le tableau, il s'enthousiasma peu à peu.

« Mais c'est très curieux !… Le ton est d'une finesse et d'une
195 vérité… Voyez donc les blancs des chemises qui se détachent sur le vert… Et original ! une vraie note[17] !… Dis donc, fillette, ce n'est pas toi qui as peint ça ? »

Adèle écoutait, rougissant, comme si on lui avait fait à elle-même ces compliments. Elle se hâta de répondre :

200 « Non, non. C'est ce jeune homme, vous savez, celui qui est au collège.

– Vrai, ça te ressemble, continuait le peintre. C'est toi, avec de la puissance… Ah ! c'est de ce jeune homme ; eh bien ! il a du talent, et beaucoup. Un tableau pareil aurait un grand
205 succès au Salon. »

Rennequin dînait le soir avec les Morand, honneur qu'il leur faisait à chacun de ses voyages. Il parla peinture toute la soirée, revenant plusieurs fois sur Ferdinand Sourdis, qu'il se promettait de voir et d'encourager. Adèle, silencieuse, l'écou-
210 tait parler de Paris, de la vie qu'il y menait, des triomphes qu'il y obtenait ; et, sur son front pâle de jeune fille réfléchie, une ride profonde se creusait, comme si une pensée entrait et se fixait là, pour n'en plus sortir. Le tableau de Ferdinand fut encadré et exposé dans la vitrine, où les demoiselles Lévêque
215 vinrent le voir ; mais elles ne le trouvèrent pas assez fini et le Polonais, très inquiet, répandit dans la ville que c'était de la peinture d'une nouvelle école, qui niait Raphaël. Pourtant, le tableau eut du succès ; on trouvait ça joli, les familles venaient en procession reconnaître les collégiens qui avaient posé. La

17. Touche personnelle.

situation de Ferdinand au collège n'en fut pas meilleure. Des professeurs se scandalisaient du bruit fait autour de ce « pion », assez peu moral pour prendre comme modèles les enfants dont on lui confiait la surveillance. On le garda cependant, en lui faisant promettre d'être plus sérieux à l'avenir. Quand Rennequin l'alla voir pour le complimenter, il le trouva pris de découragement, pleurant presque, parlant de lâcher la peinture.

« Laissez donc ! lui dit-il avec sa brusque bonhomie. Vous avez assez de talent pour vous moquer de tous ces cocos-là... Et ne vous inquiétez pas, votre jour viendra, vous arriverez bien à vous tirer de la misère comme les camarades. J'ai servi les maçons, moi qui vous parle... En attendant, travaillez ; tout est là. »

Alors, une nouvelle vie commença pour Ferdinand. Il entra peu à peu dans l'intimité des Morand. Adèle s'était mise à copier son tableau : *La Promenade*. Elle abandonnait ses aquarelles et se risquait dans la peinture à l'huile. Rennequin avait dit un mot très juste : elle avait, comme artiste, les grâces du jeune peintre, sans en avoir les virilités, ou du moins elle possédait déjà sa facture[18], même d'une habilité et d'une souplesse plus grandes, se jouant des difficultés. Cette copie, lentement et soigneusement faite, les rapprocha davantage. Adèle démonta Ferdinand[19], pour ainsi dire, posséda bientôt son procédé, au point qu'il restait très étonné de se voir dédoublé ainsi, interprété et reproduit littéralement, avec une discrétion toute féminine. C'était lui, sans accent, mais plein de charme. À Mercœur, la copie d'Adèle eut beaucoup plus de succès que l'original de Ferdinand. Seulement, on commençait à chuchoter d'abominables histoires.

18. Manière de peindre.

19. Elle décortiqua son tableau, l'analysa minutieusement.

À la vérité, Ferdinand ne songeait guère à ces choses. Adèle ne le tentait pas du tout. Il avait des habitudes de vices qu'il contentait ailleurs et très largement, ce qui le laissait très froid près de cette petite bourgeoise, dont l'embonpoint
255 jaune lui était même désagréable. Il la traitait simplement en artiste, en camarade. Quand ils causaient, ce n'était jamais que sur la peinture. Il s'enflammait, il rêvait tout haut de Paris, s'emportant contre la misère qui le clouait à Mercœur. Ah ! s'il avait eu de quoi vivre, comme il aurait
260 planté là le collège ! Le succès lui semblait certain. Cette misérable question de l'argent, de la vie quotidienne à gagner, le jetait dans des rages. Et elle l'écoutait, très grave, ayant l'air, elle aussi, d'étudier la question, de peser les chances du succès. Puis, sans jamais s'expliquer davantage,
265 elle lui disait d'espérer.

Brusquement, un matin, on trouva le père Morand mort dans sa boutique. Une attaque d'apoplexie l'avait foudroyé, comme il déballait une caisse de couleurs et de pinceaux. Quinze jours se passèrent. Ferdinand avait évité de troubler
270 la douleur de la fille et de la mère. Quand il se présenta de nouveau, rien n'avait changé. Adèle peignait, en robe noire ; Mme Morand restait dans sa chambre, à sommeiller. Et les habitudes reprirent, les causeries sur l'art, les rêves de triomphe à Paris. Seulement, l'intimité des jeunes gens était
275 plus grande. Mais jamais une familiarité tendre, jamais une parole d'amour ne les troublaient, dans leur amitié purement intellectuelle.

Un soir, Adèle, plus grave que de coutume, s'expliqua avec netteté après avoir regardé longuement Ferdinand de son clair
280 regard. Elle l'avait sans doute assez étudié, l'heure était venue de prendre une résolution.

« Écoutez, dit-elle. Il y a longtemps que je veux vous parler d'un projet… Aujourd'hui, je suis seule. Ma mère ne compte

guère. Et vous me pardonnerez, si je vous parle direc-
285 tement... »

Il attendait, surpris. Alors, sans un embarras, avec une grande simplicité, elle lui montra sa position, elle revint sur les plaintes continuelles qu'il laissait échapper. L'argent seul lui manquait. Il serait célèbre dans quelques années, s'il avait
290 eu les premières avances nécessaires pour travailler librement et se produire à Paris.

« Eh bien ! conclut-elle, permettez-moi de venir à votre aide. Mon père m'a laissé cinq mille francs de rente, et je puis en disposer tout de suite, car le sort de ma mère est également
295 assuré. Elle n'a aucun besoin de moi. »

Mais Ferdinand se récriait. Jamais il n'accepterait un pareil sacrifice, jamais il ne la dépouillerait. Elle le regardait fixement, voyant qu'il n'avait pas compris.

« Nous irions à Paris, reprit-elle avec lenteur, l'avenir serait
300 à nous... »

Puis, comme il restait effaré, elle eut un sourire, elle lui tendit la main, en lui disant d'un air de bonne camaraderie :

« Voulez-vous m'épouser, Ferdinand ?... C'est encore moi qui serai votre obligée, car vous savez que je suis une ambi-
305 tieuse ; oui, j'ai toujours rêvé la gloire, et c'est vous qui me la donnerez. »

Il balbutiait, ne se remettait pas de cette offre brusque ; tandis que, tranquillement, elle achevait de lui exposer son projet, longtemps mûri. Puis, elle se fit maternelle, en exigeant
310 de lui un seul serment : celui de se bien conduire. Le génie ne pouvait aller sans l'ordre. Et elle lui donna à entendre qu'elle connaissait ses débordements, que cela ne l'arrêtait pas, mais qu'elle entendait le corriger. Ferdinand comprit parfaitement quel marché elle lui offrait : elle apportait l'argent, il devait
315 apporter la gloire. Il ne l'aimait pas, il éprouvait même à ce moment un véritable malaise, à l'idée de la posséder.

Cependant, il tomba à genoux, il la remercia, et il ne trouva que cette phrase, qui sonna faux à ses oreilles :

« Vous serez mon bon ange. »

320 Alors, dans sa froideur, elle fut emportée par un grand élan ; elle le prit dans une étreinte et le baisa au visage, car elle l'aimait, séduite par sa beauté de jeune blond. Sa passion endormie se réveillait. Elle faisait là une affaire où ses désirs longtemps refoulés trouvaient leur compte.

325 Trois semaines plus tard, Ferdinand Sourdis était marié. Il avait cédé moins à un calcul qu'à des nécessités et à une série de faits dont il n'avait su comment sortir. On avait vendu le fonds de tubes et de pinceaux à un petit papetier du voisinage. Mme Morand ne s'était pas émue le moins du monde, 330 habituée à la solitude. Et le jeune ménage venait de partir tout de suite pour Paris, emportant *La Promenade* dans une malle, laissant Mercœur bouleversé par un dénouement si prompt. Les demoiselles Lévêque disaient que Mme Sourdis n'avait que juste le temps d'aller faire ses couches[20] dans la capitale.

à suivre…

20. Accoucher.

Questions

Repérer et analyser

Le narrateur

L'auteur est la personne réelle qui a écrit le texte. Le narrateur est celui qui a la charge de raconter l'histoire. Identifier le statut du narrateur, c'est dire s'il est ou non personnage de l'histoire :
– s'il est personnage de l'histoire, il mène le récit à la première personne du singulier ;
– s'il ne l'est pas, il mène le récit à la troisième personne, et peut intervenir dans le récit par des explications ou des commentaires.

1 Qui est l'auteur de la nouvelle ?

2 **a.** À quelle personne le narrateur mène-t-il le récit ?
b. Le narrateur intervient parfois dans le récit (commentaires, opinions) : repérez une ou plusieurs de ses interventions.

L'incipit

Signifiant en latin « il commence », le terme « incipit » désigne les premières lignes voire la première page d'un récit. L'incipit fournit un certain nombre d'informations concernant le cadre, les personnages, l'action. Sa fonction est de permettre au lecteur d'entrer dans l'histoire et de l'inciter à poursuivre sa lecture.
L'incipit peut se présenter sous différentes formes : description, dialogue, entrée directe dans l'action.

3 **a.** Sur quel personnage la nouvelle s'ouvre-t-elle ? Et sur quelle scène répétitive ? Identifiez le temps verbal et relevez les expressions qui marquent la répétition.
b. Depuis quand cette scène se répète-t-elle ? Citez le repère temporel qui l'indique.
c. À quel moment de l'histoire le narrateur se place-t-il lorsqu'il commence le récit ?

4 **a.** Dans quel lieu l'action débute-t-elle ? Le texte permet-il de le situer géographiquement ?
b. Quelle autre ville citée dans ce chapitre donne une impression de réel ?

5 Quels détails permettent de situer l'époque de l'histoire ?

L'action

6 Le retour en arrière

On appelle retour en arrière le procédé narratif qui consiste à raconter après coup des événements qui se sont passés avant le moment de l'histoire. Le retour en arrière permet de comprendre la situation des personnages.

Repérez le début et la fin du retour en arrière qui explique la première scène. Quelles informations le narrateur fournit-il par ce procédé ?

7 **a.** Quel événement marque le début de l'action ? Relevez l'expression temporelle qui l'introduit. À quel temps verbal se fait alors le récit ?

b. Quels sont, par la suite, les changements qui s'opèrent dans la vie des personnages ? Relevez les indications temporelles qui permettent de suivre la chronologie des événements.

Le rythme narratif

On appelle rythme narratif le rapport entre le temps de l'histoire (c'est-à-dire la durée des événements racontés, comptée en jours, heures...) et le temps du récit (compté en lignes ou en pages).
On parle de scène lorsque le temps du récit est à peu près égal au temps de l'histoire, autrement dit, lorsque le narrateur donne au lecteur l'illusion que la durée des événements racontés équivaut au temps qu'il met à lire le texte. Les scènes comportent souvent des dialogues ; elles marquent les temps forts de l'action.

8 Quelles sont les deux scènes sur lesquelles s'attarde le narrateur à partir de la ligne 187 ? Qui sont les personnages présents ? En quoi ces scènes sont-elles importantes ?

9 Les paroles rapportées et le rythme

Le narrateur peut rapporter directement les paroles d'un personnage, ce qui ralentit le rythme, mais il peut accélérer le rythme en utilisant le récit de paroles, c'est-à-dire en résumant les propos tenus par les personnages, ou en utilisant le discours indirect libre.

a. Repérez dans les deux scènes que vous avez identifiées quelques passages présentant un récit de paroles.

b. Pour quelle raison le narrateur a-t-il opéré ce choix ?

Le point de vue

Identifier le point de vue, c'est se demander quel choix le narrateur a effectué concernant les informations qu'il livre au lecteur. Il peut adopter un point de vue omniscient : il témoigne alors d'une connaissance parfaite des lieux, du temps, des circonstances, des sentiments et pensées des personnages, de leur passé... Il peut également adopter un point de vue interne lorsqu'il choisit de raconter l'histoire à travers le regard d'un personnage et de ne livrer au lecteur que ce que ce personnage sait, voit ou sent.

10 **a.** Quel point de vue le narrateur adopte-t-il le plus souvent ?
b. Retrouvez dans les lignes 251 à 265 un passage dans lequel le narrateur rapporte les pensées de Ferdinand selon le point de vue interne. Quel est l'effet produit sur le lecteur ?

Le naturalisme de Zola : l'influence du milieu

Selon les théories naturalistes (voir l'introduction p. 5-6), les lieux ne sont pas des décors gratuits, mais ils sont en rapport avec les personnages qui les habitent.

La ville

11 **a.** Relevez les adjectifs qualificatifs qui décrivent la ville.
b. Quel genre de vie y mènent les habitants ? De quoi vivent-ils ?
c. Quelle est l'atmosphère qui s'en dégage ? L'image qu'en donne le narrateur est-elle positive ou négative ?

La boutique du père Morand

12 **a.** Relisez les lignes 1 à 9, 30 à 38, et 46 à 57. Quel est l'adjectif qui est employé à la fois pour Mercœur, pour la boutique, et pour l'étalage ?
b. Quelle impression générale se dégage de la boutique ?
c. Expliquez la présence des guillemets qui encadrent le mot « magasin » (l. 60).

Le milieu social

On appelle classes sociales les catégories socioprofessionnelles qui composent une population donnée, ici la ville de Mercœur. Zola, chef du naturalisme littéraire, pense que le milieu d'origine est déterminant dans la vie des êtres humains.

13 Les bourgeois : quelles sont leurs idées, leurs convictions, quel est leur mode de vie ? Comment réagissent-ils par exemple vis-à-vis des relations entre Adèle et Ferdinand ?

14 Les « pions » : comment sont-ils jugés par les habitants de Mercœur ? par le père Morand en particulier ?
15 Les artistes : qui sont-ils ? Distinguez les artistes véritables et les amateurs.

Les personnages d'Adèle et de Ferdinand

Adèle

16 **a.** Quel âge Adèle a-t-elle au début de l'action ?
b. Relevez les éléments qui permettent de dresser son portrait physique. Est-il dépréciatif ? mélioratif ?
17 Le portrait moral

Les personnages de Zola sont souvent construits sur le mode du contraste entre leur apparence et leur nature profonde.

a. Quels sont les traits dominants du caractère d'Adèle ? Appuyez-vous sur les lignes 79 à 89. En quoi peut-elle tromper les gens « sur son véritable caractère » (l. 89) ?
b. Quel est son passe-temps et quelles sont ses ambitions ?
c. À quels moments apparaît-elle comme passionnée ? Comment cette passion se traduit-elle dans son regard ?
18 « Cette petite bourgeoise », écrit Zola à propos d'Adèle. D'après ce que vous savez du milieu bourgeois où elle a grandi, diriez-vous que la jeune fille est le produit de son milieu ?

Ferdinand

19 Quelle profession exerce-t-il ? À quelle activité se livre-t-il en dehors de son travail ?
20 Portrait physique et portrait moral

Selon les théories naturalistes, le physique est en lien avec le caractère.

a. Relevez les éléments qui constituent le portrait physique de Ferdinand. Le personnage apparaît-il physiquement comme viril ?
b. Comment Zola passe-t-il du portrait physique au portrait moral ?
c. Quelles sont les faiblesses du personnage ? ses ambitions ?

La naissance du couple

21 **a.** Adèle est-elle attirée par Ferdinand ? Justifiez votre réponse.
b. En quoi le « marché » qu'elle propose à Ferdinand consiste-t-il ?

c. Quelles sont ses motivations ? Quels avantages peut-elle en tirer ?
d. Retrouvez, dans le début du chapitre, l'origine de son projet.
e. Comment a-t-elle « manœuvré » auprès de son père pour lancer Ferdinand ? Comment a-t-elle réussi à se rapprocher de Ferdinand et à le convaincre de l'épouser ?

22 **a.** Ferdinand est-il de son côté attiré par Adèle ?
b. Pourquoi accepte-t-il sa proposition ? A-t-il vraiment choisi son destin ?
c. Commentez à ce propos la phrase : « Trois semaines plus tard, Ferdinand Sourdis était marié » (l. 325).

Un motif cher à Zola : la peinture et les peintres

Zola s'est intéressé à la peinture de son époque et s'est fortement engagé en faveur de la peinture impressionniste. La technique impressionniste privilégie les touches de lumière et de couleur, et crée une impression de vie.

Les gens de Mercœur

23 **a.** Quelle opinion les gens de Mercœur ont-ils de l'art et des artistes ? Expliquez l'expression « les beaux-arts y végétaient » (l. 26).
b. Quelle est la « manie » (l. 47) du père Morand ?

Le personnage de Rennequin

24 **a.** Qui est Rennequin ? Expliquez les expressions « un enfant du pays » (l. 31) et « un vieux garçon débauché » (l. 76-77), puis dites qui porte ces jugements sur l'artiste.
b. Quelle carrière Rennequin a-t-il faite ? En quoi peut-il tenir le rôle de maître ?
c. Comment juge-t-il la peinture d'Adèle ? celle de Ferdinand ? Commentez en particulier la tournure interro-négative : « Dis donc, fillette, ce n'est pas toi qui as peint ça ? » (l. 196-197).
d. Quelles sont ses idées sur le talent ? Quel conseil donne-t-il à Adèle (l. 44-45) et à Ferdinand (l. 232-233) ?

Adèle et Ferdinand

25 **a.** Que représente le tableau peint par Ferdinand ? En quoi la technique est-elle « originale » d'après Rennequin ?
b. Pourquoi les habitants de Mercœur viennent-ils voir le tableau de Ferdinand ? Est-ce que cela témoigne de son caractère innovant ?

26 **a.** « De la peinture de femme » (l. 99), dit Adèle. Relevez les détails qui font de la peinture d'Adèle de la « peinture de femme ».
b. À quel moment Adèle commence-t-elle à adopter la manière de peindre de Ferdinand ? Que lui manque-t-il ? Qu'apporte-t-elle au modèle ?
c. Quel est celui des deux qui vous paraît le plus doué, qui paraît être le véritable artiste ?
d. Que représente Paris pour les deux jeunes gens ?

Les hypothèses de lecture

À partir des éléments donnés par l'auteur au début du récit, le lecteur peut faire des suppositions sur la suite des événements.

27 D'Adèle et de Ferdinand, quel personnage vous semble dominant ? Quel rôle Rennequin pourra-t-il jouer dans la vie des jeunes gens ? Quel destin peut-on attendre pour Ferdinand ?

Enquêter

Réalisme et impressionnisme

28 « Une nouvelle école » (l. 217). Renseignez-vous sur les mouvements picturaux du XIXe siècle : le réalisme et l'impressionnisme.

Étudier une image

29 **a.** Avec *Un enterrement à Ornans*, Courbet fonde le réalisme en peinture en voulant représenter ce qu'il voit le plus fidèlement possible. Surnommé « le peintre du laid », il se détache de la peinture académique de son époque et sera violemment critiqué. Quels sont les éléments de ce tableau qui vous paraissent réalistes (précision du dessin, portraits et attitudes des villageois, décor, caractère populaire de la scène) ?
b. *Impression, soleil levant*, qui représente l'avant-port du Havre, est devenu le manifeste du mouvement impressionniste. Il ne s'agit plus de représenter avec exactitude ce que l'on voit, mais de privilégier l'impression ressentie par l'artiste. Étudiez ce tableau en observant

la fusion des éléments naturels, le jeu mouvant des reflets de l'eau et du ciel, l'imprécision des contours et des lignes.

c. Comparez ces deux tableaux en soulignant ce qui les oppose.

***Un enterrement à Ornans*, Gustave Courbet, 1849-1850, huile sur toile.**

***Impression, soleil levant*, Claude Monet, 1872, huile sur toile.**

II

335 Mme Sourdis s'occupa de l'installation. C'était rue d'Assas, dans un atelier dont la grande baie vitrée donnait sur les arbres du Luxembourg[1]. Comme les ressources du ménage étaient modestes, Adèle fit des miracles pour avoir un intérieur confortable sans trop dépenser. Elle voulait retenir 340 Ferdinand près d'elle, lui faire aimer son atelier. Et, dans les premiers temps, la vie à deux, au milieu de ce grand Paris, fut vraiment charmante.

L'hiver finissait. Les premières belles journées de mars avaient une grande douceur. Dès qu'il apprit l'arrivée du jeune 345 peintre et de sa femme, Rennequin accourut. Le mariage ne l'avait pas étonné, bien qu'il s'emportât d'ordinaire contre les unions entre artistes ; selon lui, ça tournait toujours mal, il fallait que l'un des deux mangeât l'autre. Ferdinand mangerait Adèle, voilà tout ; et c'était tant mieux pour lui, puisque 350 ce garçon avait besoin d'argent. Autant mettre dans son lit une fille peu appétissante, que de vivre de vache enragée[2] dans les restaurants à quatorze sous.

Lorsque Rennequin entra, il aperçut *La Promenade*, richement encadrée, posée sur un chevalet, au beau milieu de 355 l'atelier.

« Ah ! ah ! dit-il gaiement, vous avez apporté le chef-d'œuvre. »

Il s'était assis, il se récriait de nouveau sur la finesse du ton, sur l'originalité spirituelle de l'œuvre. Puis, brusquement :

360 « J'espère que vous envoyez ça au Salon. C'est un triomphe certain… Vous arrivez juste à temps.

– C'est ce que je lui conseille, dit Adèle avec douceur. Mais il hésite, il voudrait débuter par quelque chose de plus grand, de plus complet. »

1. Un des plus grands parcs de Paris, situé dans le 6e arrondissement.
2. Vivre de privations en attendant le succès.

Alors Rennequin s'emporta. Les œuvres de jeunesse étaient bénies. Jamais peut-être Ferdinand ne retrouverait cette fleur d'impression[3], ces naïves hardiesses du début. Il fallait être un âne bâté[4] pour ne pas sentir ça. Adèle souriait de cette violence. Certes, son mari irait plus loin, elle espérait bien qu'il ferait mieux, mais elle était heureuse de voir Rennequin combattre les étranges inquiétudes qui agitaient Ferdinand à la dernière heure. Il fut convenu que, dès le lendemain, on enverrait *La Promenade* au Salon ; les délais expiraient dans trois jours. Quant à la réception, elle était certaine, Rennequin faisant partie du jury, sur lequel il exerçait une influence considérable.

Au salon, *La Promenade* eut un succès énorme. Pendant six semaines, la foule se pressa devant la toile. Ferdinand eut ce coup de foudre de la célébrité, tel qu'il se produit souvent à Paris, d'un jour à l'autre. Même la chance voulut qu'il fût discuté, ce qui doubla son succès. On ne l'attaquait pas brutalement, certains le chicanaient seulement sur des détails que d'autres défendaient avec passion. En somme, *La Promenade* fut déclarée un petit chef-d'œuvre, et l'Administration en offrit tout de suite six mille francs. Cela avait la pointe d'originalité nécessaire pour piquer le goût blasé[5] du plus grand nombre, sans que pourtant le tempérament du peintre débordât au point de blesser les gens : en somme tout juste ce qu'il fallait au public de nouveauté et de puissance. On cria à la venue d'un maître, tant cet aimable équilibre enchantait.

Pendant que son mari triomphait ainsi bruyamment parmi la foule et dans la presse, Adèle, qui avait envoyé elle aussi ses essais de Mercœur, des aquarelles très fines, ne trouvait son nom nulle part, ni dans la bouche des visiteurs, ni dans les articles des journaux. Mais elle était sans envie, sa vanité

3. Fraîcheur, innocence. 4. Idiot. 5. Indifférent, usé.

Une séance de jury de peinture au Salon des Artistes français, Henri Gervex, 1885.

d'artiste ne souffrait même aucunement. Elle avait mis tout son orgueil dans son beau Ferdinand. Chez cette fille silencieuse, qui avait comme moisi pendant vingt-deux ans dans l'ombre humide de la province, chez cette bourgeoise froide
400 et jaunie, une passion de cœur et de tête avait éclaté, avec une violence extraordinaire. Elle aimait Ferdinand pour la couleur d'or de sa barbe, pour sa peau rose, pour le charme et la grâce de toute sa personne ; et cela au point d'être jalouse, de souffrir de ses plus courtes absences, de le surveiller continuelle-
405 ment, avec la peur qu'une autre femme ne le lui volât. Lorsqu'elle se regardait dans une glace, elle avait bien conscience de son infériorité, de sa taille épaisse et de son visage déjà plombé. Ce n'était pas elle, c'était lui qui avait apporté la beauté dans le ménage ; et elle lui devait même ce qu'elle

410 aurait dû avoir. Son cœur se fondait à cette pensée que tout venait de lui. Puis, sa tête travaillait, elle l'admirait comme un maître. Alors, une reconnaissance infinie l'emplissait, elle se mettait de moitié dans son talent, dans ses victoires, dans cette célébrité qui allait la hausser elle-même au milieu d'une
415 apothéose[6]. Tout ce qu'elle avait rêvé se réalisait, non plus par elle-même, mais par un autre elle-même, qu'elle aimait à la fois en disciple[7], en mère et en épouse. Au fond, dans son orgueil, Ferdinand serait son œuvre, et il n'y avait qu'elle là-dedans, après tout.

420 Ce fut pendant ces premiers mois qu'un enchantement perpétuel embellit l'atelier de la rue d'Assas. Adèle, malgré cette idée que tout lui venait de Ferdinand, n'avait aucune humilité; car la pensée qu'elle avait fait ces choses lui suffisait. Elle assistait avec un sourire attendri à l'épanouissement
425 du bonheur qu'elle voulait et qu'elle cultivait. Sans que cette idée eût rien de bas, elle se disait que sa fortune avait seule pu réaliser ce bonheur. Aussi tenait-elle sa place, en se sentant nécessaire. Il n'y avait, dans son admiration et dans son adoration, que le tribut[8] volontaire d'une personnalité qui consent
430 à se laisser absorber, au profit d'une œuvre qu'elle regarde comme sienne et dont elle entend vivre. Les grands arbres du Luxembourg verdissaient, des chants d'oiseaux entraient dans l'atelier, avec les souffles tièdes des belles journées. Chaque matin, de nouveaux journaux arrivaient, avec des éloges; on
435 publiait le portrait de Ferdinand, on reproduisait son tableau par tous les procédés et dans tous les formats. Et les deux jeunes mariés buvaient cette publicité bruyante, sentaient avec une joie d'enfants l'énorme et éclatant Paris s'occuper d'eux, tandis qu'ils déjeunaient sur leur petite table, dans le silence
440 délicieux de leur retraite.

6. Gloire et triomphe. 7. Élève. 8. Prix à payer.

Cependant, Ferdinand ne s'était pas remis au travail. Il vivait dans la fièvre, dans une surexcitation qui lui ôtait, disait-il, toute la sûreté de la main. Trois mois avaient passé, il renvoyait toujours au lendemain les études d'un grand tableau 445 auquel il songeait depuis longtemps : une toile qu'il intitulerait *Le Lac*, une allée du bois de Boulogne, à l'heure où la queue des équipages roule lentement, dans la lumière blonde du couchant. Déjà, il était allé prendre quelques croquis ; mais il n'avait plus la belle flamme de ses jours de misère. Le bien-450 être où il vivait semblait l'endormir ; puis, il jouissait de son brusque triomphe, en homme qui tremblait de le gâter par une œuvre nouvelle. Maintenant, il était toujours dehors. Souvent, il disparaissait le matin pour ne reparaître que le soir ; à deux ou trois reprises, il rentra fort tard. C'étaient de 455 continuels prétextes à sorties et à absences : une visite à un atelier, une présentation à un maître contemporain, des documents à rassembler pour l'œuvre future, surtout des dîners d'amis. Il avait retrouvé plusieurs de ses camarades de Lille, il faisait déjà partie de diverses sociétés d'artistes, ce qui le 460 lançait dans de continuels plaisirs, dont il revenait échauffé, fiévreux, parlant fort, avec des yeux brillants.

Adèle ne s'était pas encore permis un seul reproche. Elle souffrait beaucoup de cette dissipation[9] croissante, qui lui prenait son mari et la laissait seule pendant de longues heures. 465 Mais elle plaidait elle-même contre sa jalousie et ses craintes : il fallait bien que Ferdinand fît ses affaires ; un artiste n'était pas un bourgeois qui pouvait garder le coin de son feu ; il avait besoin de connaître le monde, il se devait à son succès. Et elle éprouvait presque un remords de ses sourdes révoltes, lorsque 470 Ferdinand lui jouait la comédie de l'homme excédé par ses obligations mondaines, en lui jurant qu'il avait de tout cela

9. Débauche.

« plein le dos » et qu'il aurait tout donné pour ne jamais quitter sa petite femme. Une fois même, ce fut elle qui le mit dehors, comme il faisait mine de ne pas vouloir se rendre à
475 un déjeuner de garçons, où l'on devait l'aboucher[10] avec un très riche amateur. Puis, quand elle était seule, Adèle pleurait. Elle voulait être forte ; et toujours elle voyait son mari avec d'autres femmes, elle avait le sentiment qu'il la trompait, ce qui la rendait si malade, qu'elle devait parfois se mettre au
480 lit, dès qu'il l'avait quittée.

Souvent Rennequin venait chercher Ferdinand. Alors, elle tâchait de plaisanter.

« Vous serez sages, n'est-ce pas ? Vous savez, je vous le confie.

485 – N'aie donc pas peur ! répondait le peintre en riant. Si on l'enlève, je serai là... Je te rapporterai toujours son chapeau et sa canne. »

Elle avait confiance en Rennequin. Puisque lui aussi emmenait Ferdinand, c'était qu'il le fallait. Elle se ferait à cette exis-
490 tence. Mais elle soupirait, en songeant à leurs premières semaines de Paris, avant le tapage du Salon, lorsqu'ils passaient tous les deux des journées si heureuses, dans la solitude de l'atelier. Maintenant, elle était seule à y travailler, elle avait repris ses aquarelles avec acharnement, pour tuer les
495 heures. Dès que Ferdinand avait tourné le coin de la rue en lui envoyant un dernier adieu, elle refermait la fenêtre et se mettait à la besogne. Lui, courait les rues, allait Dieu savait où, s'attardait dans les endroits louches, revenait brisé de fatigue et les yeux rougis. Elle, patiente, entêtée, restait les
500 journées entières devant sa petite table, à reproduire continuellement les études qu'elle avait apportées de Mercœur, des bouts de paysages attendris, qu'elle traitait avec une habileté

10. Mettre en relation avec quelqu'un.

de plus en plus étonnante. C'était sa tapisserie, comme elle le disait avec un sourire pincé.

505 Un soir, elle veillait en attendant Ferdinand, très absorbée dans la copie d'une gravure qu'elle exécutait à la mine de plomb, lorsque le bruit sourd d'une chute, à la porte même de l'atelier, la fit tressaillir. Elle appela, se décida à ouvrir et se trouva en présence de son mari, qui tâchait de se relever, 510 en riant d'un rire épais. Il était ivre.

Adèle, toute blanche, le remit sur pieds, le soutint en le poussant vers leur chambre. Il s'excusait, bégayait des mots sans suite. Elle, sans une parole, l'aida à se déshabiller. Puis, quand il fut dans le lit, ronflant, assommé par l'ivresse, elle ne se 515 coucha pas, elle passa la nuit dans un fauteuil, les yeux ouverts, à réfléchir. Une ride coupait son front pâle. Le lendemain, elle ne parla pas à Ferdinand de la scène honteuse de la veille. Il était fort gêné, encore étourdi, les yeux gros et la bouche amère. Ce silence absolu de sa femme redoubla son 520 embarras; et il ne sortit pas de deux jours, il se fit très humble, il se remit au travail avec un empressement d'écolier qui a une faute à se faire pardonner. Il se décida à établir les grandes lignes de son tableau, consultant Adèle, s'appliquant à lui montrer en quelle estime il la tenait. Elle était d'abord restée 525 silencieuse et très froide, comme un reproche vivant, toujours sans se permettre la moindre allusion. Puis, devant le repentir de Ferdinand, elle redevint naturelle et bonne; tout fut tacitement pardonné et oublié. Mais, le troisième jour, Rennequin étant venu prendre son jeune ami pour le faire dîner avec un 530 critique d'art célèbre, au Café Anglais[11], Adèle dut attendre son mari jusqu'à quatre heures du matin; et, quand il reparut, il avait une plaie sanglante au-dessus de l'œil gauche, quelque coup de bouteille attrapé dans une querelle de mauvais lieu.

11. Au XIXe siècle, célèbre café parisien, situé sur les grands boulevards.

Elle le coucha et le pansa. Rennequin l'avait quitté sur le
535 boulevard, à onze heures.

Alors ce fut réglé. Ferdinand ne put accepter un dîner, se rendre à une soirée, s'absenter le soir sous un prétexte quelconque, sans rentrer chez lui dans un état abominable. Il revenait affreusement gris[12], avec des noirs[13] sur la peau,
540 rapportant dans ses vêtements défaits des odeurs infâmes, l'âcreté de l'alcool et le musc[14] des filles. C'étaient des vices monstrueux où il retombait toujours, par une lâcheté de tempérament. Et Adèle ne sortait pas de son silence, le soignait chaque fois avec une rigidité de statue, sans le questionner,
545 sans le souffleter[15] de sa conduite. Elle lui faisait du thé, lui tenait la cuvette, nettoyait tout, ne voulant pas réveiller la bonne et cachant son état comme une honte que la pudeur lui défendait de montrer. D'ailleurs, pourquoi l'aurait-elle interrogé ? Chaque fois, elle reconstruisait aisément le drame,
550 la pointe d'ivresse prise avec des amis, puis les courses enragées dans le Paris nocturne, la débauche crapuleuse, avec des inconnus emmenés de cabaret en cabaret, avec des femmes rencontrées au coin d'un trottoir, disputées à des soldats et brutalisées dans la saleté de quelque taudis. Parfois, elle
555 retrouvait au fond de ses poches des adresses étranges, des débris ignobles, toutes sortes de preuves qu'elle se hâtait de brûler, pour ne rien savoir de ces choses. Quand il était égratigné par des ongles de femme, quand il lui revenait blessé et sali, elle se raidissait davantage, elle le lavait, dans un silence
560 hautain, qu'il n'osait rompre. Puis, le lendemain, après le drame de ces nuits de débauche, lorsqu'il se réveillait et qu'il la trouvait muette devant lui, ils n'en parlaient ni l'un ni l'autre, ils semblaient avoir fait tous les deux un cauchemar, et le train de leur vie reprenait.

12. Saoûl. **13.** Bleus. **14.** Parfum. **15.** Humilier.

565 Une seule fois, Ferdinand, en une crise d'attendrissement involontaire, s'était au réveil jeté à son cou, avec des sanglots, en balbutiant:

« Pardonne-moi, pardonne-moi! »

Mais elle l'avait repoussé, mécontente, feignant d'être 570 surprise.

« Comment! te pardonner?... Tu n'as rien fait. Je ne me plains pas. »

Et cet entêtement à paraître ignorer ses fautes, cette supériorité d'une femme qui se possédait au point de commander 575 à ses passions, avait rendu Ferdinand tout petit.

À la vérité, Adèle agonisait de dégoût et de colère, dans l'attitude qu'elle avait prise. La conduite de Ferdinand révoltait en elle toute une éducation dévote, tout un sentiment de correction et de dignité. Son cœur se soulevait, quand il rentrait 580 empoisonnant[16] le vice, et qu'elle devait le toucher de ses mains et passer le reste de la nuit dans son haleine. Elle le méprisait. Mais, au fond de ce mépris, il y avait une jalousie atroce contre les amis, contre les femmes qui le lui renvoyaient ainsi souillé, dégradé. Ces femmes, elle aurait voulu les voir râler sur le trot-585 toir, elle s'en faisait des monstres, ne comprenant pas comment la police n'en débarrassait pas les rues à coups de fusil. Son amour n'avait pas diminué. Quand l'homme la dégoûtait, certains soirs, elle se réfugiait dans son admiration pour l'artiste; et cette admiration restait comme épurée, à ce point que, 590 parfois, en bourgeoise pleine de légendes sur les désordres[17] nécessaires du génie, elle finissait par accepter l'inconduite de Ferdinand ainsi que le fumier fatal des grandes œuvres. D'ailleurs, si ses délicatesses de femme, si ses tendresses d'épouse étaient blessées par les trahisons dont il la récom-595 pensait si mal, elle lui reprochait peut-être plus amèrement de

16. Empestant.

17. Les débauches, la vie déréglée.

ne pas tenir ses engagements de travail, de briser le contrat qu'ils avaient fait, elle en apportant la vie matérielle, lui en apportant la gloire. Il y avait là un manque de parole qui l'indignait, et elle en arrivait à chercher un moyen de sauver au
600 moins l'artiste, dans ce désastre de l'homme. Elle voulait être très forte, car il fallait qu'elle fût le maître.

En moins d'une année, Ferdinand se sentit redevenir un enfant. Adèle le dominait de toute sa volonté. C'était elle le mâle, dans cette bataille de la vie. À chacune de ses fautes,
605 chaque fois qu'elle l'avait soigné sans un reproche, avec une pitié sévère, il était devenu plus humble, devinant son mépris, courbant la tête. Entre eux, aucun mensonge n'était possible; elle était la raison, l'honnêteté, la force, tandis qu'il roulait à toutes les faiblesses, à toutes les déchéances; et ce dont il souf-
610 frait le plus, ce qui l'anéantissait devant elle, c'était cette froideur de juge qui n'ignore rien, qui pousse le dédain jusqu'au pardon, sans croire même devoir sermonner le coupable, comme si la moindre explication devait porter atteinte à la dignité du ménage. Elle ne parlait pas, pour rester haute, pour
615 ne pas descendre elle-même et se salir à cette ordure. Si elle s'était emportée, si elle lui avait jeté à la face ses amours d'une nuit, en femme que la jalousie enrage, il aurait certainement moins souffert. En s'abaissant, elle l'aurait redressé. Comme il était petit, et quel sentiment d'infériorité, lorsqu'il s'éveillait,
620 brisé de honte, avec la certitude qu'elle savait tout et qu'elle ne daignait se plaindre de rien!

Cependant, son tableau marchait, il avait compris que son talent restait sa seule supériorité. Quand il travaillait, Adèle retrouvait pour lui ses tendresses de femme; elle redevenait
625 petite à son tour, étudiait respectueusement son œuvre, debout derrière lui, et se montrait d'autant plus soumise que la besogne de la journée était meilleure. Il était son maître, c'était le mâle qui reprenait sa place dans le ménage. Mais d'invin-

cibles paresses le tenaient maintenant. Quand il était rentré
630 brisé, comme vidé par la vie qu'il menait, ses mains gardaient des mollesses, il hésitait, n'avait plus l'exécution franche. Certains matins, une impuissance radicale engourdissait tout son être. Alors, il se traînait la journée entière, devant sa toile, prenant sa palette pour la rejeter bientôt, n'arrivant à rien et
635 s'enrageant ; ou bien il s'endormait sur un canapé d'un sommeil de plomb, dont il ne se réveillait que le soir, avec des migraines atroces. Adèle, ces jours-là, le regardait en silence. Elle marchait sur la pointe des pieds, pour ne pas l'énerver et ne pas effaroucher[18] l'inspiration, qui allait venir sans doute ;
640 car elle croyait à l'inspiration, à une flamme invisible qui entrait par la fenêtre ouverte et se posait sur le front de l'artiste élu. Puis, des découragements la lassaient elle-même, elle était prise d'une inquiétude, à la pensée encore vague que Ferdinand pouvait faire banqueroute[19], en associé infidèle.

645 On était en février, l'époque du Salon approchait. Et *Le Lac* ne s'achevait pas. Le gros travail était fait, la toile se trouvait entièrement couverte ; seulement, à part certaines parties très avancées, le reste restait brouillé et incomplet. On ne pouvait envoyer la toile ainsi, à l'état d'ébauche. Il y
650 manquait cet ordre dernier, ces lumières, ce fini qui décident d'une œuvre ; et Ferdinand n'avançait plus, il se perdait dans les détails, détruisait le soir ce qu'il avait fait le matin, tournant sur lui-même, se dévorant dans son impuissance. Un soir, à la tombée du crépuscule, comme Adèle rentrait d'une
655 course lointaine, elle entendit, dans l'atelier plein d'ombre, un bruit de sanglots. Devant sa toile, affaissé sur une chaise, elle aperçut son mari immobile.

« Mais tu pleures ! dit-elle très émue. Qu'as-tu donc ?

– Non, non, je n'ai rien », bégaya-t-il.

18. Faire fuir.

19. Faillite.

660 Depuis une heure, il était tombé là, à regarder stupidement[20] cette toile, où il ne voyait plus rien. Tout dansait devant ses regards troubles. Son œuvre était un chaos qui lui semblait absurde et lamentable ; et il se sentait paralysé, faible comme un enfant, d'une impuissance absolue à mettre de l'ordre dans 665 ce gâchis de couleurs. Puis, quand l'ombre avait peu à peu effacé la toile, quand tout, jusqu'aux notes vives, avait sombré dans le noir comme dans un néant, il s'était senti mourir, étranglé par une tristesse immense. Et il avait éclaté en sanglots.

« Mais tu pleures, je le sens, répéta la jeune femme qui venait 670 de porter les mains à son visage trempé de larmes chaudes. Est-ce que tu souffres ? »

Cette fois, il ne put répondre. Une nouvelle crise de sanglots l'étranglait. Alors, oubliant sa sourde rancune, cédant à une pitié pour ce pauvre homme insolvable[21], elle le baisa mater-675 nellement dans les ténèbres. C'était la faillite.

20. Avec étonnement, sans réaction.

21. Qui ne peut pas payer ses dettes.

III

Le lendemain, Ferdinand fut obligé de sortir après le déjeuner. Lorsqu'il revint, deux heures plus tard, et qu'il se fut absorbé comme à son habitude devant sa toile, il eut une légère exclamation.

680 « Tiens, on a donc touché à mon tableau ! »

À gauche, on avait terminé un coin du ciel et un bouquet de feuillages. Adèle, penchée sur sa table, s'appliquant à une de ses aquarelles, ne répondit pas tout de suite.

« Qui est-ce qui s'est permis de faire ça ? reprit-il plus étonné 685 que fâché. Est-ce que Rennequin est venu ?

– Non, dit enfin Adèle sans lever la tête. C'est moi qui me suis amusée… C'est dans les fonds[22], ça n'a pas d'importance. »

Ferdinand se mit à rire d'un rire gêné.

« Tu collabores donc, maintenant ? Le ton est très juste, 690 seulement il y a là une lumière qu'il faut atténuer.

– Où donc ? demanda-t-elle en quittant sa table. Ah ! oui, cette branche. »

Elle avait pris un pinceau et elle fit la correction. Lui, la regardait. Au bout d'un silence, il se remit à lui donner des 695 conseils, comme à une élève, tandis qu'elle continuait le ciel. Sans qu'une explication plus nette eût lieu, il fut entendu qu'elle se chargerait de finir les fonds. Le temps pressait, il fallait se hâter. Et il mentait, il se disait malade, ce qu'elle acceptait d'un air naturel.

700 « Puisque je suis malade, répétait-il à chaque instant, ton aide me soulagera beaucoup… Les fonds n'ont pas d'importance. »

Dès lors, il s'habitua à la voir devant son chevalet. De temps à autre, il quittait le canapé, s'approchait en bâillant, 705 jugeait d'un mot sa besogne, parfois lui faisait recommencer

22. L'arrière-plan, dans un tableau, sur lequel se détache le premier plan.

un morceau. Il était très raide comme professeur. Le second jour, se disant de plus en plus souffrant, il avait décidé qu'elle avancerait d'abord les fonds, avant qu'il terminât lui-même les premiers plans; cela, d'après lui, devait faciliter le travail; on verrait plus clair, on irait plus vite. Et ce fut toute une semaine de paresse absolue, de longs sommeils sur le canapé, pendant que sa femme, silencieuse, passait la journée debout devant le tableau. Ensuite, il se secoua, il attaqua les premiers plans. Mais il la garda près de lui; et, quand il s'impatientait, elle le calmait, elle achevait les détails qu'il lui indiquait. Souvent, elle le renvoyait, en lui conseillant d'aller prendre l'air dans le jardin du Luxembourg. Puisqu'il n'était pas bien portant, il devait se ménager; ça ne lui valait rien de s'échauffer la tête ainsi; et elle se faisait très affectueuse. Puis, restée seule, elle se dépêchait, travaillait avec une obstination de femme, ne se gênant pas pour pousser les premiers plans le plus possible. Lui, en était à une telle lassitude, qu'il ne s'apercevait pas de la besogne faite en son absence, ou du moins il n'en parlait pas, il semblait croire que son tableau avançait tout seul. En quinze jours, *Le Lac* fut terminé. Mais Adèle elle-même n'était pas contente. Elle sentait bien que quelque chose manquait. Lorsque Ferdinand, soulagé, déclarait le tableau très bien, elle restait froide et hochait la tête.

« Que veux-tu donc ? disait-il avec colère. Nous ne pouvons pas nous tuer là-dessus. »

Ce qu'elle voulait, c'était qu'il signât le tableau de sa personnalité. Et, par des miracles de patience et de volonté, elle lui en donna l'énergie. Pendant une semaine encore, elle le tourmenta, elle l'enflamma. Il ne sortait plus, elle le chauffait de ses caresses, le grisait[23] de ses admirations. Puis, quand elle

23. L'enivrait.

le sentait vibrant, elle lui mettait les pinceaux à la main et le tenait des heures devant le tableau, à causer, à discuter, à le jeter dans une excitation qui lui rendait sa force. Et ce fut ainsi 740 qu'il retravailla la toile, qu'il revint sur le travail d'Adèle, en lui donnant les vigueurs de touche et les notes originales qui manquaient. C'était peu de chose et ce fut tout. L'œuvre vivait maintenant.

La joie de la jeune femme fut grande. L'avenir de nouveau 745 était souriant. Elle aiderait son mari, puisque les longs travaux le fatiguaient. Ce serait une mission plus intime, dont les bonheurs secrets l'emplissaient d'espoir. Mais, en plaisantant, elle lui fit jurer de ne pas révéler sa part de travail; ça ne valait pas la peine, ça la gênerait. Ferdinand promit en s'étonnant. 750 Il n'avait pas de jalousie artistique contre Adèle, il répétait partout qu'elle savait son métier de peintre beaucoup mieux que lui, ce qui était vrai.

Quand Rennequin vint voir *Le Lac*, il resta longtemps silencieux. Puis, très sincèrement, il fit de grands compliments à 755 son jeune ami.

« C'est à coup sûr plus complet que *La Promenade*, dit-il, les fonds ont une légèreté et une finesse incroyables et les premiers plans s'enlèvent avec beaucoup de vigueur… Oui, oui, très bien, très original… »

760 Il était visiblement étonné, mais il ne parla pas de la véritable cause de sa surprise. Ce diable de Ferdinand le déroutait[24], car jamais il ne l'aurait cru si habile, et il trouvait dans ce tableau quelque chose de nouveau qu'il n'attendait pas. Pourtant, sans le dire, il préférait *La Promenade*, certaine- 765 ment plus lâchée, plus rude, mais plus personnelle. Dans *Le Lac*, le talent s'était affermi et élargi, et l'œuvre toutefois le séduisait moins, parce qu'il y sentait un équilibre plus banal,

24. Surprenait.

un commencement au joli et à l'entortillé. Cela ne l'empêcha pas de s'en aller, en répétant :

770 « Étonnant, mon cher… Vous allez avoir un succès fou. »

Et il avait prédit juste. Le succès du *Lac* fut encore plus grand que celui de *La Promenade*. Les femmes surtout se pâmèrent[25]. Cela était exquis. Les voitures filant dans le soleil avec l'éclair de leurs roues, les petites figures en toilette, des 775 taches claires qui s'enlevaient au milieu des verdures du Bois, charmèrent les visiteurs qui regardent de la peinture comme on regarde de l'orfèvrerie. Et les gens les plus sévères, ceux qui exigent de la force et de la logique dans une œuvre d'art, étaient pris, eux aussi, par un métier savant, une entente très 780 grande de l'effet, des qualités de facture rares. Mais ce qui dominait, ce qui achevait la conquête du grand public, c'était la grâce un peu mièvre[26] de la personnalité. Tous les critiques furent d'accord pour déclarer que Ferdinand Sourdis était en progrès. Un seul, mais un homme brutal, qui se faisait exécrer 785 par sa façon tranquille de dire la vérité, osa écrire que, si le peintre continuait à compliquer et à amollir sa facture, il ne lui donnait pas cinq ans pour gâter les précieux dons de son originalité.

Rue d'Assas, on était bien heureux. Ce n'était plus le coup 790 de surprise du premier succès, mais comme une consécration définitive, un classement parmi les maîtres du jour. En outre, la fortune arrivait, des commandes se produisaient de tous côtés, les quelques bouts de toile que le peintre avait chez lui furent disputés à coups de billets de banque ; et il fallut se 795 mettre au travail.

Adèle garda toute sa tête, dans cette fortune. Elle n'était pas avare, mais elle avait été élevée à cette école de l'économie provinciale, qui connaît le prix de l'argent, comme on dit.

25. S'extasièrent.

26. Fade, gentillette.

Hermann Kauffmann et Georg Haeselich, *Kauffmanns Munich Studio*, 1830.

Aussi se montra-t-elle sévère et tint-elle la main à ce que 800 Ferdinand ne manquât jamais aux engagements qu'il prenait. Elle inscrivait les commandes, veillait aux livraisons, plaçait l'argent. Et son action, surtout, s'exerçait sur son mari, qu'elle menait à coups de férule[27].

27. Avec autorité (au sens figuré).

Elle avait réglé sa vie, tant d'heures de travail par jour,
805 puis des récréations. Jamais d'ailleurs elle ne se fâchait, c'était toujours la même femme silencieuse et digne ; mais il s'était si mal conduit, il lui avait laissé prendre une telle autorité, que, maintenant, il tremblait devant elle. Certainement, elle lui rendit alors le plus grand service ; car, sans cette
810 volonté qui le maintenait, il se serait abandonné, il n'aurait pas produit les œuvres qu'il donna pendant plusieurs années. Elle était le meilleur de sa force, son guide et son soutien. Sans doute, cette crainte qu'elle lui inspirait ne l'empêchait pas de retomber parfois dans ses anciens désordres ; comme
815 elle ne satisfaisait pas ses vices, il s'échappait, courait les basses débauches, revenait malade, hébété[28] pour trois ou quatre jours. Mais, chaque fois, c'était une arme nouvelle qu'il lui donnait, elle montrait un mépris plus haut, l'écrasait de ses regards froids, et pendant une semaine alors il ne
820 quittait plus son chevalet. Elle souffrait trop comme femme, lorsqu'il la trahissait, pour désirer une de ces escapades, qui le lui ramenaient si repentant et si obéissant. Cependant, quand elle voyait la crise se déclarer, lorsqu'elle le sentait travaillé de désirs, les yeux pâles, les gestes fiévreux, elle
825 éprouvait une hâte furieuse à ce que la rue le lui rendît souple et inerte, comme une pâte molle qu'elle travaillait à sa guise, de ses mains courtes de femme volontaire et sans beauté. Elle se savait peu plaisante, avec son teint plombé, sa peau dure et ses gros os ; et elle se vengeait sourdement
830 sur ce joli homme, qui redevenait à elle, quand les belles filles l'avaient anéanti. D'ailleurs, Ferdinand vieillissait vite ; des rhumatismes l'avaient pris ; à quarante ans, des excès de toutes sortes faisaient déjà de lui un vieillard. L'âge allait forcément le calmer.

28. Sans réaction, abruti.

835 Dès *Le Lac*, ce fut une chose convenue, le mari et la femme travaillèrent ensemble. Ils s'en cachaient encore, il est vrai ; mais, les portes fermées, ils se mettaient au même tableau, poussaient la besogne en commun. Ferdinand, le talent mâle, restait l'inspirateur, le constructeur ; c'était lui qui choisissait 840 les sujets et qui les jetait d'un trait large, en établissant chaque partie. Puis, pour l'exécution, il cédait la place à Adèle, au talent femelle, en se réservant toutefois la facture de certains morceaux de vigueur. Dans les premiers temps, il gardait pour lui la grosse part ; il tenait à honneur de ne se faire aider par 845 sa femme que pour les coins, les épisodes[29] ; mais sa faiblesse s'aggravait, il était de jour en jour moins courageux à la besogne, et il s'abandonna, il laissa Adèle l'envahir. À chaque œuvre nouvelle, elle collabora davantage, par la force des choses, sans qu'elle-même eût le plan arrêté de substituer ainsi 850 son travail à celui de son mari. Ce qu'elle voulait, c'était d'abord que ce nom de Sourdis, qui était le sien, ne fît pas faillite à la gloire, c'était de maintenir au sommet cette célébrité, qui avait été tout son rêve de jeune fille laide et cloîtrée ; ensuite, ce qu'elle voulait, c'était de ne pas manquer de parole 855 aux acheteurs, de livrer les tableaux aux jours promis, en commerçante honnête qui n'a qu'une parole. Et alors elle se trouvait bien obligée de terminer en hâte la besogne, de boucher tous les trous laissés par Ferdinand, de finir les toiles, lorsqu'elle le voyait s'enrager d'impuissance, les doigts trem-860 blants, incapables de tenir un pinceau. Jamais d'ailleurs elle ne triomphait, elle affectait de rester l'élève, de se borner à une pure besogne de manœuvre, sous ses ordres. Elle le respectait encore comme artiste, elle l'admirait réellement, avertie par son instinct qu'il restait jusque-là le mâle, malgré sa 865 déchéance. Sans lui, elle n'aurait pu faire de si larges toiles.

29. Morceaux sans importance, secondaires.

Rennequin, dont le ménage se cachait comme des autres peintres, suivait avec une surprise croissante la lente substitution de ce tempérament femelle à ce tempérament mâle, sans pouvoir comprendre. Pour lui, Ferdinand n'était pas
870 précisément dans une mauvaise voie, puisqu'il produisait et qu'il se soutenait ; mais il se développait dans un sens de facture qu'il n'avait pas semblé apporter d'abord. Son premier tableau, *La Promenade*, était plein d'une personnalité vive et spirituelle, qui, peu à peu, avait disparu dans les œuvres
875 suivantes, qui maintenant se noyait au milieu d'une coulée de pâte molle et fluide, très agréable à l'œil, mais de plus en plus banale. Pourtant, c'était la même main, ou du moins Rennequin l'aurait juré, tant Adèle, avec son adresse, avait pris la facture de son mari. Elle avait ce génie de démonter le
880 métier des autres et de s'y glisser. D'autre part, les tableaux de Ferdinand prenaient une odeur vague de puritanisme[30], une correction bourgeoise qui blessait le vieux maître. Lui qui avait salué dans son jeune ami un talent libre, il était irrité de ses raideurs nouvelles, du certain air pudibond[31] et pincé
885 qu'affectait maintenant sa peinture. Un soir, dans une réunion d'artistes, il s'emporta, en criant :

« Ce diable de Sourdis tourne au calotin[32]... Avez-vous vu sa dernière toile ? Il n'a donc pas de sang dans les veines, ce bougre-là ! Les filles l'ont vidé. Eh ! oui, c'est l'éternelle
890 histoire, on se laisse manger le cerveau par quelque bête de femme... Vous ne savez pas ce qui m'embête, moi ? c'est qu'il fasse toujours bien. Parfaitement ! vous avez beau rire ! Je m'étais imaginé que, s'il tournait mal, il finirait dans un gâchis absolu, vous savez, un gâchis superbe d'homme fou-
895 droyé. Et pas du tout, il semble avoir trouvé une mécanique

30. Attitude morale stricte, aux principes rigides.
31. Prude.
32. Terme péjoratif pour désigner les partisans et adeptes de l'Église.

qui se règle de jour en jour et qui le mène à faire plat, couramment... C'est désastreux. Il est fini, il est incapable du mauvais. »

On était habitué aux sorties paradoxales[33] de Rennequin, et l'on s'égaya. Mais lui se comprenait; et, comme il aimait Ferdinand, il éprouvait une réelle tristesse.

Le lendemain, il se rendit rue d'Assas. Trouvant la clé sur la porte, et s'étant permis d'entrer sans frapper, il resta stupéfait. Ferdinand n'y était pas. Devant un chevalet, Adèle terminait vivement un tableau dont les journaux s'occupaient déjà. Elle était si absorbée qu'elle n'avait pas entendu la porte s'ouvrir, ne se doutant pas d'ailleurs que la bonne venait, en rentrant, d'oublier sa clé dans la serrure. Et Rennequin, immobile, put la regarder une grande minute. Elle abattait la besogne avec une sûreté de main qui indiquait une grande pratique[34]. Elle avait sa facture adroite, courante, cette mécanique bien réglée dont justement il parlait la veille. Tout d'un coup, il comprit, et son saisissement fut tel, il sentit si bien son indiscrétion, qu'il essaya de sortir pour frapper. Mais, brusquement, Adèle tourna la tête.

« Tiens! c'est vous, cria-t-elle. Vous étiez là, comment êtes-vous entré ? »

Et elle devint très rouge. Rennequin, embarrassé lui-même, répondit qu'il arrivait à peine. Puis, il eut conscience que, s'il ne parlait pas de ce qu'il venait de voir, la situation serait plus gênante encore.

« Hein ? la besogne presse, dit-il de son air le plus bonhomme. Tu donnes un petit coup de main à Ferdinand. »

Elle avait repris sa pâleur de cire. Elle répondit tranquillement:

33. Opinions surprenantes, qui tranchent avec l'opinion commune.
34. Habitude.

« Oui, ce tableau devrait être livré depuis lundi, et comme Ferdinand a eu ses douleurs… Oh ! quelques glacis[35] sans importance. »

Mais elle ne s'abusait pas, on ne pouvait tromper un homme 930 comme Rennequin. Pourtant, elle restait immobile, sa palette et ses pinceaux aux mains. Alors, il dut lui dire :

« Il ne faut pas que je te gêne. Continue. »

Elle le regarda fixement quelques secondes. Enfin, elle se décida. Maintenant, il savait tout, à quoi bon feindre davan-935 tage ? Et, comme elle avait formellement promis le tableau pour le soir, elle se remit à la besogne, abattant l'ouvrage avec une carrure toute masculine. Il s'était assis et suivait son travail, lorsque Ferdinand rentra. D'abord, il éprouva un saisissement, à trouver ainsi Rennequin installé derrière Adèle, 940 et la regardant faire son tableau. Mais il paraissait très las, incapable d'un sentiment fort. Il vint se laisser tomber près du vieux maître, en poussant le soupir d'un homme qui n'a plus qu'un besoin de sommeil. Puis, un silence régna, il ne sentait pas la nécessité d'expliquer les choses. C'était ainsi, 945 il n'en souffrait pas. Au bout d'un instant il se pencha seulement vers Rennequin, tandis qu'Adèle, haussée sur les pieds, sabrait[36] largement son ciel de grands coups de lumière ; et il lui dit, avec un véritable orgueil :

« Vous savez, mon cher, elle est plus forte que moi… Oh ! 950 un métier ! une facture ! »

Lorsque Rennequin descendit l'escalier, remué, hors de lui, il parla tout haut, dans le silence.

« Encore un de nettoyé[37] !… Elle l'empêchera de descendre trop bas, mais jamais elle ne le laissera s'élever très haut. 955 Il est foutu ! »

à suivre…

35. Couches que l'on peint sur les couleurs déjà sèches, pour harmoniser les teintes.

36. Traçait comme à coups de sabre.

37. Éliminé, liquidé (familier).

Repérer et analyser

La progression du récit et le rythme

L'auteur ne rapporte pas toutes les actions de la vie d'un personnage, il effectue une sélection en fonction de l'effet qu'il cherche à produire et de la visée qu'il attribue à son texte. Le choix qu'il opère influe sur le rythme du récit : il peut accélérer le rythme en passant sous silence certains événements (ellipses), ou en les résumant (sommaires) ; il peut ralentir le rythme en s'attardant sur un moment important, sous la forme d'une scène dialoguée par exemple.

1 Quels sont les principaux événements qui surviennent dans ces deux chapitres ?

2 Sur combien de temps environ se déroulent-ils ? Appuyez-vous sur les indications temporelles.

3 **a.** Repérez une ellipse temporelle et un passage dans lequel le narrateur présente un résumé des événements.

b. Quelles sont les scènes qu'il développe ? Quels sont les personnages présents ? Que s'y passe-t-il ?

c. Justifiez ces différents choix.

Le cadre

Dans un récit, la description des lieux peut contribuer à donner au lecteur une impression de réel.
Dans les œuvres naturalistes, elle permet aussi de comprendre les personnages, par la correspondance qu'elle crée entre eux et le cadre du récit.

4 **a.** Dans quelle ville les Sourdis habitent-ils désormais ? Dans quelle rue ? Près de quel parc ? Le cadre est-il réaliste ?

b. Avec quelle saison tous leurs moments de bonheur sont-ils en harmonie ?

c. Que symbolise cette saison dans leur nouvelle vie ?

Le parcours du couple Sourdis

Les relations conjugales

5 À quel moment la vie à deux est-elle heureuse ? Quelles sont les raisons de ce bonheur ?

6 Relisez les lignes 391 à 419.
a. Quels sentiments Mme Sourdis éprouve-t-elle pour son mari ? Qu'est-ce qui l'attire chez lui ? Expliquez l'expression « une passion de cœur et de tête » (l. 400).
b. Ces sentiments sont-ils partagés ?
c. Qu'est-ce qui lie les époux : les sentiments ou les affaires ?
7 **a.** Comment Ferdinand se conduit-il quand il sort de chez lui ? Ce comportement est-il nouveau ? fréquent ? Voyez également le chapitre 1, l. 134 à 141.
b. Quelle est la réaction d'Adèle face à ce comportement ? Quels sentiments mêlés éprouve-t-elle pour lui à ces moments ?
c. Étudiez la part des dialogues entre les époux. Qu'en concluez-vous sur leur aptitude à communiquer entre eux ?

Les rôles dans le couple

Un personnage peut endosser un rôle dans l'action (héros, opposant, adjuvant) et un rôle thématique (père, maître, témoin, muse, etc.).

8 **a.** Quel est le rôle de Mme Sourdis en ce qui concerne les tâches matérielles dans la vie du couple (installation, gestion des comptes) ?
b. De quelles qualités, héritées en partie de ses origines sociales, fait-elle preuve ?
c. Quels différents rôles Adèle assume-t-elle auprès de son mari ?
9 Rappelez quel a été leur arrangement. Relevez le champ lexical du contrat, des affaires. Quels bénéfices Adèle en tire-t-elle ?

Le parcours artistique de Ferdinand

10 Quel est l'accueil réservé au tableau *La Promenade* ? Appuyez-vous sur un champ lexical.
11 **a.** À partir de quel moment Ferdinand fait-il preuve de faiblesse et a-t-il des difficultés à peindre ? Pour quelles raisons ?
b. En quoi son mode de vie a-t-il des répercussions sur son art ?
12 **a.** Suivez, en vous appuyant sur le texte, les étapes de sa déchéance physique et artistique.
b. Relisez la scène du chapitre 2 où il pleure devant sa toile *Le Lac*. Quel est son état intérieur ?
13 **a.** Quelle aide lui apporte sa femme dans la réalisation des tableaux ?

b. Quel jugement Rennequin porte-t-il sur lui à la fin du chapitre 3 ?
c. Quelle est désormais la qualité des peintures signées de son nom ?

Le transfert, la substitution et l'inversion des rôles

Un personnage se substitue à un autre quand il prend peu à peu sa place, se glissant dans la peau de l'autre.
Effectuer un transfert, c'est effectuer un acte de passage : transfert d'énergie, transfert de biens...

14 **a.** En quoi consiste précisément cette « substitution » (l. 867-868) sur le plan artistique et sur celui des sexes ? Appuyez-vous notamment sur les lignes 602 à 621.
b. Quelles sont les causes de cette substitution ? Pensez aux tempéraments respectifs des deux héros, à leurs ambitions.
15 Le motif de l'enfant

On appelle motif un détail, un thème, une image récurrente (qui se répète) dans le texte. Pourvu d'une signification, le motif peut servir à comprendre l'évolution d'un personnage ou la visée de l'œuvre.

Relevez le champ lexical de l'enfant (l. 519 à 535). Quel personnage est concerné ?
16 **a.** À partir de quel moment précis Adèle commence-t-elle à se substituer à son mari dans sa fonction de peintre ? Quels éléments du tableau retouche-t-elle pour commencer ?
b. Étudiez la participation progressive d'Adèle aux tableaux. Quelles en sont les étapes ?
17 **a.** Montrez en citant le texte qu'Adèle communique ses forces vitales à son mari, notamment pour terminer le tableau *Le Lac*.
b. Grâce à quelles qualités compense-t-elle les faiblesses de son mari ?
18 **a.** Jusqu'à quel point a-t-elle réussi à adopter la manière de peindre de Ferdinand ? Que manque-t-il cependant au tableau, qu'elle demande à son mari de rétablir ?
b. Rennequin oppose le « tempérament mâle » au « tempérament femelle » (l. 868). Comment ces expressions expliquent-elles ce manque ?
c. Le tableau *Le Lac* obtient-il finalement du succès ?

Un motif cher à Zola : la peinture et les peintres

19 Quelle manifestation artistique parisienne constitue un passage obligé pour les artistes ?

20 **a.** Quel jugement Rennequin porte-t-il sur le tableau *La Promenade* ? Confirme-t-il son opinion première (voir chapitre 1, l. 192 à 205) ? Pense-t-il que Ferdinand, à ses débuts, a l'étoffe d'un grand peintre ?

b. Comment le narrateur explique-t-il l'accueil fait au tableau *La Promenade* ?

21 **a.** Que représente le tableau *Le Lac* ?

b. Relisez les lignes 753 à 770. Quelles réserves Rennequin émet-il sur ce tableau ?

22 Le stéréotype

Le stéréotype ou cliché est une opinion toute faite, une idée reçue, trop souvent exprimée donc banale. Il s'applique à toutes sortes d'objets (métiers, classes sociales…). Un personnage littéraire, s'il est présenté de manière figée, devient un stéréotype.

a. Quelles idées préconçues Adèle a-t-elle sur l'artiste ? Expliquez notamment les expressions « les désordres nécessaires du génie » (l. 590-591) et « un artiste n'était pas un bourgeois » (l. 466-467).

b. Comment se représente-t-elle l'inspiration qui vient aux artistes (voir l. 638 à 642) ?

Le naturalisme de Zola : la méthode scientifique

La méthode expérimentale préconisée par Zola pour étudier les groupes sociaux suppose un milieu donné, des individus, et un observateur qui suit l'interaction entre eux dans des situations données.

23 Montrez que Zola présente l'histoire d'une déchéance à travers la rencontre de deux tempéraments opposés.

24 **a.** Qui est le témoin privilégié de cette substitution entre les époux ?

b. « Tout d'un coup, il comprit » (l. 912-913) : qu'est-ce que Rennequin a compris ?

c. Expliquez : « Il est fini, il est incapable du mauvais » (l. 897-898).

d. Est-ce qu'il intervient pour changer les choses ? Pourquoi ?

La visée et les hypothèses de lecture

25 **a.** Relisez les lignes 343 à 352. Pour quelle raison Rennequin a-t-il toujours eu des réticences à l'égard des liaisons entre artistes ? Rennequin a-t-il vu juste quant à l'avenir du couple Sourdis ?
b. En quoi cette inversion des rôles est-elle inquiétante ? Qui est absorbé par l'autre ? Vers quelle fin s'achemine-t-on ?

Débattre

26 Adèle est-elle un « bon ange » (chapitre 1, l. 319) pour Ferdinand ? Présentez vos arguments.

Enquêter

La vie d'artiste
27 Qu'appelle-t-on la « vie de bohème » ? Renseignez-vous sur le stéréotype de l'artiste qui mange de « la vache enragée » (l. 351), sur les « poètes maudits » (Baudelaire, Rimbaud, Verlaine…). Comparez leur mode de vie avec celui de Ferdinand.

Se documenter

Le Salon
Fondée au XVIIe siècle par Colbert, cette exposition périodique d'œuvres se déroulait à l'origine dans le salon carré du Louvre, d'où elle tire son nom. Un jury de peintres choisissait les tableaux méritant d'être exposés. Des médailles étaient distribuées. Être présent au Salon représentait la consécration pour un artiste.
Les tableaux acceptés étaient souvent académiques, conventionnels ; l'originalité était peu appréciée. En 1863 se tint le premier Salon des refusés où fut présenté le célèbre tableau de Manet, *Le Déjeuner sur l'herbe*, qui fit scandale et que Zola a toujours défendu. Sur le portrait de Zola peint par Manet figure d'ailleurs une reproduction de l'*Olympia* de ce peintre (voir l'illustration p. 7).

IV

Des années se passèrent. Les Sourdis avaient acheté à Mercœur une petite maison dont le jardin donnait sur la promenade du Mail. D'abord, ils étaient venus vivre là quelques mois de l'été, pour échapper, pendant les chaleurs
960 de juillet et d'août, à l'étouffement de Paris. C'était comme une retraite toujours prête. Mais, peu à peu, ils y vécurent davantage; et, à mesure qu'ils s'y installaient, Paris leur devenait moins nécessaire. Comme la maison était très étroite, ils firent bâtir dans le jardin un vaste atelier, qui s'augmenta
965 bientôt de tout un corps de bâtiment. Maintenant, c'était à Paris qu'ils allaient en vacances, l'hiver, pendant deux ou trois mois au plus. Ils vivaient à Mercœur, ils n'avaient plus qu'un pied-à-terre, dans une maison de la rue de Clichy, qui leur appartenait.

970 Cette retraite en province avait donc eu lieu petit à petit, sans plan arrêté. Lorsqu'on s'étonnait devant elle, Adèle parlait de la santé de Ferdinand, qui était fort mauvaise, et, à l'entendre, il semblait qu'elle eût cédé au besoin de mettre son mari dans un milieu de paix et de grand air. Mais la vérité
975 était qu'elle-même avait obéi à d'anciens désirs, réalisant ainsi son dernier rêve. Lorsque, jeune fille, elle regardait pendant des heures les pavés humides de la place du Collège, elle se voyait bien, à Paris, dans un avenir de gloire, avec des applaudissements tumultueux autour d'elle, un grand éclat rayon-
980 nant sur son nom; seulement, le songe s'achevait toujours à Mercœur, dans un coin mort de la petite ville, au milieu du respect étonné des habitants. C'était là qu'elle était née, c'était là qu'elle avait eu la continuelle ambition de triompher, à ce point que la stupeur des bonnes femmes de Mercœur, plan-
985 tées sur les portes, lorsqu'elle passait au bras de son mari, l'emplissait davantage du sentiment de sa célébrité, que les hommages délicats des salons de Paris. Au fond, elle était

restée bourgeoise et provinciale, s'inquiétant de ce que pensait sa petite ville, à chaque nouvelle victoire, y revenant avec des battements de cœur, y goûtant tout l'épanouissement de sa personnalité, depuis l'obscurité d'où elle était partie, jusqu'à la renommée où elle vivait. Sa mère était morte, il y avait dix ans déjà, et elle revenait simplement chercher sa jeunesse, cette vie glacée dont elle avait dormi.

À cette heure, le nom de Ferdinand Sourdis ne pouvait plus grandir. Le peintre, à cinquante ans, avait obtenu toutes les récompenses et toutes les dignités, les médailles réglementaires, les croix et les titres. Il était commandeur de la Légion d'honneur, il faisait partie de l'Institut[1] depuis plusieurs années. Sa fortune seule s'élargissait encore, car les journaux avaient épuisé les éloges. Il y avait des formules toutes faites qui servaient couramment pour le louer : on l'appelait le maître fécond, le charmeur exquis auquel toutes les âmes appartenaient. Mais cela ne semblait plus le toucher, il devenait indifférent, portant sa gloire comme un vieil habit auquel il était habitué. Lorsque les gens de Mercœur le voyaient passer, voûté déjà, avec ses regards vagues qui ne se fixaient sur rien, il entrait beaucoup de surprise dans leur respect, car ils s'imaginaient difficilement que ce monsieur, si tranquille et si las, pût faire tant de bruit dans la capitale.

D'ailleurs, tout le monde à présent savait que Mme Sourdis aidait son mari dans sa peinture. Elle passait pour une maîtresse femme, bien qu'elle fût petite et très grosse. C'était même un autre étonnement, dans le pays, qu'une dame si corpulente pût piétiner devant des tableaux toute la journée, sans avoir le soir les jambes cassées. Affaire d'habitude, disaient les bourgeois. Cette collaboration de sa femme ne jetait aucune déconsidération sur Ferdinand ; au contraire. Adèle, avec un

1. Institut de France, qui regroupe plusieurs académies, dont celle des Beaux-Arts.

tact supérieur, avait compris qu'elle ne devait pas supprimer
1020 son mari ouvertement; il gardait la signature, il était comme
un roi constitutionnel qui régnait sans gouverner. Les œuvres
de Mme Sourdis n'auraient pris personne, tandis que les
œuvres de Ferdinand Sourdis conservaient toute leur force sur
la critique et le public. Aussi montrait-elle toujours la plus
1025 grande admiration pour son mari, et le singulier était que cette
admiration restait sincère. Bien que, peu à peu, il ne touchât
que de loin en loin un pinceau, elle le considérait comme le
créateur véritable des œuvres qu'elle peignait presque entièrement.
Dans cette substitution de leurs tempéraments c'était
1030 elle qui avait envahi l'œuvre commune, au point d'y dominer
et de l'en chasser; mais elle ne se sentait pas moins dépendante
encore de l'impulsion première, elle l'avait remplacé en se l'incorporant,
en prenant pour ainsi dire de son sexe. Le résultat
était un monstre. À tous les visiteurs, lorsqu'elle montrait leurs
1035 œuvres, elle disait toujours: « Ferdinand a fait ceci, Ferdinand
va faire cela », lors même que Ferdinand n'avait pas donné et
ne devait pas donner un seul coup de pinceau. Puis, à la
moindre critique, elle se fâchait, n'admettait pas qu'on pût
discuter le génie de Ferdinand. En cela, elle se montrait
1040 superbe, dans un élan de croyance extraordinaire; jamais ses
colères de femme trompée, jamais ses dégoûts ni ses mépris
n'avaient détruit en elle la haute figure[2] qu'elle s'était faite du
grand artiste qu'elle avait aimé dans son mari, même lorsque
cet artiste avait décliné et qu'elle avait dû se substituer à lui,
1045 pour éviter la faillite. C'était un coin d'une naïveté charmante,
d'un aveuglement tendre et orgueilleux à la fois, qui aidait
Ferdinand à porter le sentiment sourd de son impuissance. Il
ne souffrait pas de sa déchéance, il disait également: « mon
tableau, mon œuvre », sans songer combien peu il travaillait

2. Représentation, image.

aux toiles qu'il signait. Et tout cela était si naturel entre eux, il jalousait si peu cette femme qui lui avait pris jusqu'à sa personnalité, qu'il ne pouvait causer deux minutes sans la vanter. Toujours, il répétait ce qu'il avait dit un soir à Rennequin :

« Je vous jure, elle a plus de talent que moi… Le dessin me donne un mal du diable, tandis qu'elle, naturellement, vous plante une figure d'un trait… Oh ! une adresse dont vous n'avez pas l'idée ! Décidément, on a ça ou l'on n'a pas ça dans les veines. C'est un don. »

On souriait discrètement, en ne voyant là que la galanterie d'un mari amoureux. Mais, si l'on avait le malheur de montrer qu'on estimait beaucoup Mme Sourdis, mais qu'on ne croyait pas à son talent d'artiste, il s'emportait, il entrait dans de grandes théories sur les tempéraments et le mécanisme de la production ; discussions qu'il terminait toujours par ce cri :

« Quand je vous dis qu'elle est plus forte que moi ! Est-ce étonnant que personne ne veuille me croire ! »

Le ménage était très uni. Sur le tard, l'âge et sa mauvaise santé avaient beaucoup calmé Ferdinand. Il ne pouvait plus boire, tellement son estomac se détraquait au moindre excès. Les femmes seules l'emportaient encore dans des coups de folie qui duraient deux ou trois jours. Mais, quand le ménage vint s'installer complètement à Mercœur, le manque d'occasions le força à une fidélité presque absolue. Adèle n'eut plus à craindre que de brusques bordées[3] avec les bonnes qui la servaient. Elle s'était bien résignée à n'en prendre que de très laides ; seulement, cela n'empêchait pas Ferdinand de s'oublier avec elles, si elles y consentaient. C'étaient, chez lui, par certains jours d'énervement physique, des perversions, des

3. Virées de débauche.

besoins qu'il aurait contentés, au risque de tout détruire. Elle en était quitte pour changer de domestique, chaque fois qu'elle croyait s'apercevoir d'une intimité trop grande avec Monsieur. Alors, Ferdinand restait honteux pendant une semaine. Cela, 1085 jusque dans le vieil âge, rallumait la flamme de leur amour. Adèle adorait toujours son mari, avec cette jalousie contenue qu'elle n'avait jamais laissé éclater devant lui ; et lui, lorsqu'il la voyait dans un de ces silences terribles, après le renvoi d'une bonne, il tâchait d'obtenir son pardon par toutes sortes de 1090 soumissions tendres. Elle le possédait alors comme un enfant. Il était très ravagé, le teint jauni, le visage creusé de rides profondes ; mais il avait gardé sa barbe d'or, qui pâlissait sans blanchir, et qui le faisait ressembler à quelque dieu vieilli, doré encore du charme de sa jeunesse.

1095 Un jour vint où il eut, dans leur atelier de Mercœur, le dégoût de la peinture. C'était comme une répugnance physique ; l'odeur de l'essence, la sensation grasse du pinceau sur la toile lui causaient une exaspération nerveuse ; ses mains se mettaient à trembler, il avait des vertiges. Sans doute il y 1100 avait là une conséquence de son impuissance elle-même, un résultat du long détraquement de ses facultés d'artiste, arrivé à la période aiguë[4]. Il devait finir par cette impossibilité matérielle. Adèle se montra très bonne, le réconfortant, lui jurant que c'était une mauvaise disposition passagère dont il guéri- 1105 rait ; et elle le força à se reposer. Comme il ne travaillait absolument plus aux tableaux, il s'inquiéta, devint sombre. Mais elle trouva un arrangement : ce serait lui qui ferait les compositions à la mine de plomb, puis elle les reporterait sur les toiles, où elle les mettrait au carreau[5] et les peindrait, sous ses 1110 ordres. Dès lors, les choses marchèrent ainsi, il n'y eut plus un seul coup de pinceau donné par lui dans les œuvres qu'il

4. À son point culminant.
5. Technique qui consiste à quadriller la toile pour reproduire un modèle, un croquis.

Jacques Doré, *L'Atelier du peintre*, 1885.

signait. Adèle exécutait tout le travail matériel, et il restait simplement l'inspirateur, il fournissait les idées, des crayonnages, parfois incomplets et incorrects, qu'elle était obligée
15 de corriger, sans le lui dire. Depuis longtemps, le ménage travaillait surtout pour l'exportation. Après le grand succès remporté en France, des commandes étaient venues, surtout de Russie et d'Amérique; et, comme les amateurs de ces pays lointains ne se montraient pas difficiles, comme il suffisait
20 d'expédier des caisses de tableaux et de toucher l'argent, sans avoir jamais un ennui, les Sourdis s'étaient peu à peu entièrement donnés à cette production commode. D'ailleurs, en France, la vente avait baissé. Lorsque, de loin en loin, Ferdinand envoyait un tableau au Salon, la critique l'ac-
25 cueillait avec les mêmes éloges: c'était un talent classé,

consacré, pour lequel on ne se battait plus, et qui avait pu glisser peu à peu à une production abondante et médiocre, sans déranger les habitudes du public et des critiques. Le peintre était resté le même pour le plus grand nombre, il avait 1130 simplement vieilli et cédé la place à des réputations plus turbulentes. Seulement, les acheteurs finissaient par se déshabituer de sa peinture. On le saluait encore comme un des maîtres contemporains, mais on ne l'achetait presque plus. L'étranger enlevait tout.

1135 Cette année-là pourtant, une toile de Ferdinand Sourdis fit encore un effet considérable au Salon. C'était comme un pendant à son premier tableau: *La Promenade*. Dans une salle froide, aux murs blanchis, des élèves travaillaient, regardaient voler les mouches, riaient sournoisement, tandis que le 1140 « pion », enfoncé dans la lecture d'un roman, semblait avoir oublié le monde entier; et la toile avait pour titre: *L'Étude*. On trouva cela charmant, et des critiques, comparant les deux œuvres, peintes à trente ans de distance, parlèrent même du chemin parcouru, des inexpériences de *La Promenade* et de 1145 la science parfaite de *L'Étude*. Presque tous s'ingéniaient à voir dans ce dernier tableau des finesses extraordinaires, un raffinement d'art exquis, une facture parfaite que personne ne dépasserait jamais. Cependant, la grande majorité des artistes protestait, et Rennequin se montrait parmi les plus 1150 violents. Il était très vieux, vert encore pour ses soixante-quinze ans, toujours passionné de vérité.

« Laissez donc! criait-il. J'aime Ferdinand comme un fils, mais c'est trop bête, à la fin, de préférer ses œuvres actuelles aux œuvres de sa jeunesse! Cela n'a plus ni flamme, ni saveur, 1155 ni originalité d'aucune sorte. Oh! c'est joli, c'est facile, cela je vous l'accorde! Mais il faut vendre de la chandelle pour avoir le goût de cette facture banale, relevée par je ne sais quelle sauce compliquée, où il y a de tous les styles, et même de toutes les pourritures de style… Ce n'est plus mon Ferdinand qui peint ces machines-là… »

Pourtant, il s'arrêtait. Lui, savait à quoi s'en tenir, et l'on sentait dans son amertume une sourde colère qu'il avait toujours professée contre les femmes, ces animaux nuisibles, comme il les nommait parfois. Il se contentait seulement de répéter en se fâchant :

« Non, ce n'est plus lui… Non, ce n'est plus lui… »

Il avait suivi le lent travail d'envahissement d'Adèle, avec une curiosité d'observateur et d'analyste. À chaque œuvre nouvelle, il s'était aperçu des moindres modifications, reconnaissant les morceaux du mari et ceux de la femme, constatant que ceux-là diminuaient au profit de ceux-ci dans une progression régulière et constante. Le cas lui paraissait si intéressant, qu'il oubliait de se fâcher pour jouir uniquement de ce jeu des tempéraments, en homme qui adorait le spectacle de la vie. Il avait donc noté les plus légères nuances de la substitution, et à cette heure, il sentait bien que ce drame physiologique et psychologique était accompli. Le dénouement, ce tableau de *L'Étude*, était là devant ses yeux. Pour lui, Adèle avait mangé Ferdinand, c'était fini.

Alors, comme toutes les années, au mois de juillet, il eut l'idée d'aller passer quelques jours à Mercœur. Depuis le Salon, d'ailleurs, il éprouvait la plus violente envie de revoir le ménage. C'était pour lui l'occasion de constater sur les faits s'il avait raisonné juste.

Quand il se présenta chez les Sourdis, par une brûlante après-midi, le jardin dormait sous ses ombrages. La maison, et jusqu'aux plates-bandes, avaient une propreté, une régularité bourgeoise, qui annonçaient beaucoup d'ordre et de calme. Aucun bruit de la petite ville n'arrivait dans ce coin écarté, les rosiers grimpants étaient pleins d'un bourdonnement d'abeilles. La bonne dit au visiteur que Madame était à l'atelier.

Quand Rennequin ouvrit la porte, il aperçut Adèle peignant debout, dans cette attitude où il l'avait surprise une première fois, bien des années auparavant. Mais, aujourd'hui, elle ne 1195 se cachait plus. Elle eut une légère exclamation de joie, et voulut lâcher sa palette. Mais Rennequin se récria :

« Je m'en vais si tu te déranges... Que diable ! traite-moi en ami. Travaille, travaille ! »

Elle se laissa faire violence, en femme qui connaît le prix du 1200 temps.

« Eh bien ! puisque vous le permettez !... Vous savez, on n'a jamais une heure de repos. »

Malgré l'âge qui venait, malgré l'obésité dont elle était de plus en plus envahie, elle menait toujours rudement la 1205 besogne, avec une sûreté de main extraordinaire. Rennequin la regardait depuis un instant, lorsqu'il demanda :

« Et Ferdinand ? il est sorti ?

– Mais non, il est là », répondit Adèle en désignant un coin de l'atelier, du bout de son pinceau.

1210 Ferdinand était là, en effet, allongé sur un divan, où il sommeillait. La voix de Rennequin l'avait réveillé ; mais il ne le reconnaissait pas, la pensée lente, très affaibli.

« Ah ! c'est vous, quelle bonne surprise ! » dit-il enfin.

Et il donna une molle poignée de main, en faisant un effort 1215 pour se mettre sur son séant[6]. La veille, sa femme l'avait encore surpris avec une petite fille, qui venait laver la vaisselle ; et il était très humble, la mine effarée, accablé et ne sachant que faire pour gagner sa grâce. Rennequin le trouva plus vidé, plus écrasé qu'il ne s'y attendait. Cette fois, l'anéantissement était 1220 complet, et il éprouva une grande pitié pour le pauvre homme. Voulant voir s'il réveillerait en lui un peu de la flamme d'autrefois, il lui parla du beau succès de *L'Étude*, au dernier Salon.

6. S'asseoir.

« Ah ! mon gaillard, vous remuez encore les masses… On parle de vous là-bas, comme aux premiers jours. »

5 Ferdinand le regardait d'un air hébété. Puis, pour dire quelque chose :

« Oui, je sais, Adèle m'a lu des journaux. Mon tableau est très bien, n'est-ce pas ?… Oh ! je travaille, je travaille toujours beaucoup… Mais, je vous assure, elle est plus forte que moi,

30 elle a un métier épatant ! »

Et il clignait les yeux, en désignant sa femme avec un pâle sourire. Elle s'était approchée, elle haussait les épaules, d'un air de bonne femme[7], en disant :

« Ne l'écoutez donc pas ! Vous connaissez sa toquade[8]… Si

35 l'on voulait le croire, ce serait moi le grand peintre… Je l'aide, et encore très mal. Enfin, puisque ça l'amuse ! »

Rennequin restait muet devant cette comédie qu'ils se jouaient à eux-mêmes, de bonne foi sans doute. Il sentait nettement, dans cet atelier, la suppression totale de Ferdinand.

40 Celui-ci ne crayonnait même plus des bouts d'esquisse, tombé au point de ne pas sentir le besoin de sauvegarder son orgueil par un mensonge ; il lui suffisait maintenant d'être le mari. C'est Adèle qui composait, qui dessinait et peignait, sans lui demander un conseil, entrée d'ailleurs si complètement dans

45 sa peau d'artiste, qu'elle le continuait, sans que rien pût indiquer la minute où la rupture avait été complète. Elle était seule à cette heure, et il ne restait, dans cette individualité femelle, que l'empreinte ancienne d'une individualité mâle.

Ferdinand bâillait :

50 « Vous restez à dîner, n'est-ce pas ? dit-il. Oh ! je suis éreinté[9]… Comprenez-vous ça, Rennequin ? Je n'ai rien fait aujourd'hui et je suis éreinté.

7. Équivalent féminin de « bonhomme », souvent attribué à Rennequin : aux manières bonnes et simples.

8. Caprice passager, manie.
9. Épuisé physiquement.

– Il ne fait rien, mais il travaille du matin au soir, dit Adèle. Jamais il ne veut m'écouter et se reposer une bonne fois.

– C'est vrai, reprit-il, le repos me rend malade, il faut que je m'occupe. »

Il s'était levé, s'était traîné un instant, puis avait fini par se rasseoir devant la petite table, sur laquelle anciennement sa femme faisait des aquarelles. Et il examinait une feuille de papier, où justement les premiers tons d'une aquarelle se trouvaient jetés. C'était une de ces œuvres de pensionnaire, un ruisseau faisant tourner les roues d'un moulin, avec un rideau de peupliers et un vieux saule. Rennequin, qui se penchait derrière lui, se mit à sourire, devant la maladresse enfantine du dessin et des teintes, un barbouillage presque comique.

« C'est drôle », murmura-t-il.

Mais il se tut, en voyant Adèle le regarder fixement. D'un bras solide, sans appui-main, elle venait d'ébaucher toute une figure, enlevant du coup le morceau, avec une carrure magistrale :

« N'est-ce pas que c'est joli, ce moulin ? dit complaisamment Ferdinand, toujours penché sur la feuille de papier, bien sage à cette place de petit garçon. Oh ! vous savez, j'étudie, pas davantage. »

Et Rennequin resta saisi. Maintenant, c'était Ferdinand qui faisait les aquarelles.

Émile Zola, « Madame Sourdis », nouvelle publiée en avril 1880 dans la revue *Le Messager de l'Europe* (traduite en russe), puis parue en France en mai 1900 dans *La Grande Revue*.

Repérer et analyser

L'écoulement du temps et le rythme

1 **a.** Relevez l'ellipse qui ouvre le chapitre puis, dans le second paragraphe, l'indication temporelle qui précise le temps écoulé depuis le début de l'action.
b. Quel âge Ferdinand a-t-il ?

2 Sur quelle scène le narrateur s'attarde-t-il à la fin de la nouvelle ? À quelle ligne commence-t-elle ? Quel en est le cadre ? Qui sont les personnages présents ?

Le parcours du couple Sourdis

3 **a.** Où les Sourdis vivent-ils désormais ?
b. Quel genre de vie mènent-ils ?

4 Faites le bilan de la carrière artistique de Ferdinand. A-t-il atteint la célébrité ? Comment réagit-il ?

5 **a.** Quelles relations Adèle et Ferdinand entretiennent-ils sur le plan professionnel ? Chacun reconnaît-il le rôle de l'autre dans l'obtention de la gloire ?
b. Comment leurs relations conjugales ont-elles évolué ?
c. Quels sentiments Mme Sourdis a-t-elle toujours pour son mari ? Citez le texte.

La structure de la nouvelle et la chute

La chute est la phrase par laquelle se termine le récit, le mot de la fin, et a pour fonction de provoquer une réaction du lecteur.
Cette nouvelle est construite selon une structure cyclique (composition circulaire), c'est-à-dire que l'épisode final renvoie à l'épisode d'ouverture (le récit se présente comme une boucle qui se ferme).

6 Comment la nouvelle se termine-t-elle ? En quoi la dernière phrase constitue-t-elle une chute ?

7 Relisez le début et la fin de la nouvelle.
a. En quoi y a-t-il retour aux origines ? Quels sont les éléments que l'on retrouve à l'identique ?

b. Que signifie pour les personnages ce retour dans le lieu d'origine ?
c. Quels éléments se sont inversés ? Quel est l'effet produit ?

Le naturalisme de Zola : la rencontre de deux tempéraments

La métaphore de la dévoration

Le naturalisme de Zola dépeint la réalité et ses mécanismes à travers des images ou métaphores.
On trouve souvent chez Zola la métaphore de la dévoration (désir de dévorer, de se nourrir de la substance de l'autre) que l'on peut rapprocher du motif du vampire.

8 **a.** Relevez la phrase par laquelle Rennequin fait explicitement référence à la métaphore de la dévoration, puis relevez le champ lexical de l'anéantissement, de la suppression de Ferdinand par Adèle.
b. Quelle femme Adèle est-elle devenue physiquement ? Comparez avec ce qu'elle était au début de la nouvelle.
c. En quoi peut-elle être comparée à un vampire ?

9 Montrez qu'en même temps, Ferdinand se vide de lui-même et se dégrade de plus en plus :
- sur le plan physique, que lui reste-t-il ?
- sur le plan artistique, à quoi se réduit strictement sa participation aux tableaux (commentez notamment l'expression « il était comme un roi constitutionnel », l. 1020-1021) ?

10 Le motif de l'enfant

En psychologie, on appelle régression un recul de la personnalité vers un état antérieur, ici vers l'enfance.

Quels sont les détails qui signalent la régression infantile de Ferdinand ?

La dualité des personnages

Il y a une dualité fondamentale dans les personnages de Zola : l'apparence dissimule souvent une nature secrète.

11 Relevez les indices qui montrent qu'au fil du temps Adèle a développé des traits masculins, et Ferdinand des traits féminins.

12 **a.** Quel tempérament se cache derrière la petite boutiquière obèse de Mercœur ? Et derrière Ferdinand, qui a atteint le sommet de la célébrité ?
b. Relevez dans les troisième et quatrième paragraphes les passages qui montrent l'étonnement des habitants de Mercœur.

L'expérience scientifique

Le naturalisme se caractérise par la volonté d'analyser et d'observer la réalité humaine et sociale d'un point de vue scientifique.

13 Relisez les lignes 1167 à 1179 et relevez tout ce qui s'apparente à une expérience scientifique. En quoi Rennequin apparaît-il comme le porte-parole de Zola ?

Un motif cher à Zola : la peinture et les peintres

14 Comment se manifeste concrètement la réussite de Ferdinand (notoriété, vente des tableaux, clientèle…) ?
15 **a.** Que représente le tableau intitulé *L'Étude* ? Quelles critiques Rennequin émet-il à propos de ce tableau ? et à propos de la manière de peindre de Mme Sourdis ?
b. D'après l'opinion de Rennequin sur ce tableau, dégagez les conceptions de Zola en peinture.

La visée

16 Le titre de la nouvelle

Le titre ne reçoit sa pleine signification qu'une fois la lecture achevée.

a. Sur quel personnage la nouvelle s'ouvrait-elle ?
b. Justifiez le choix du titre.
c. Proposez un sous-titre qui rende compte d'un aspect majeur de la nouvelle.
17 **a.** Expliquez la phrase : « Il sentait bien que ce drame physiologique et psychologique était accompli » (l. 1176-1177).
b. Quel type de femme Zola dénonce-t-il à travers cette nouvelle ? Quel terme péjoratif est employé pour désigner ce qu'est devenue Adèle (l. 1034) ?
c. Pour Zola, l'énergie créatrice et les qualités artistiques sont-elles le fait d'un tempérament masculin ou féminin ?

Écrire

Écrire une lettre

18 Pour imaginer cette nouvelle, Zola se serait inspiré de l'écrivain Alphonse Daudet, qui avait la réputation d'un débauché, et de sa femme Julia. Zola aurait attendu la mort de ce dernier pour publier la nouvelle en France.
Imaginez qu'Alphonse Daudet ait eu connaissance de la nouvelle de Zola et qu'il se soit reconnu dans le portrait de Ferdinand : il écrit une lettre à Zola pour lui faire part de son mécontentement.

Enquêter

Le rôle de la femme dans la vie de l'artiste

19 Qu'est-ce qu'une muse ? une égérie ? une mante religieuse ? En quoi Adèle peut-elle ressembler à cet insecte ?

Lire

L'impuissance de l'artiste

20 C'est son tempérament de débauché qui ruine le talent de Ferdinand et permet à Adèle de le vampiriser. Sur ce plan, Ferdinand ressemble à Steinbock, l'artiste de *La Cousine Bette* de Balzac qui se laisse détruire par les manipulations d'une femme. Parfois, c'est l'impuissance à exprimer son idéal qui paralyse l'artiste. C'est le cas du héros du *Chef-d'œuvre inconnu* de Balzac, Frenhofer, ainsi que de Claude Lantier, héros de *L'Œuvre* de Zola. Choisissez un de ces livres et lisez-le.

Nouvelle 2

Un mariage d'amour

Le roman que publie *Le Figaro*[1] et qui obtient un si légitime succès d'émotion, me rappelle une terrible histoire de passion et de souffrance. Je vais la conter en quelques mots, me réservant d'écrire un jour le volume qu'elle demanderait[2].
5 Si je me décide à la faire connaître aujourd'hui, c'est qu'elle renferme une haute leçon et qu'elle montre le coupable trouvant une effroyable punition dans l'impunité même de son crime.

Imaginez que Furbice ait épousé Margaï, après avoir réussi
10 à cacher l'assassinat de Pascoul[3] à la justice des hommes. Les deux meurtriers, l'amant et la femme adultère, ont sauvé leur honneur; ils vont maintenant vivre la vie de félicité[4] qu'ils ont rêvée; les voilà réunis à jamais, liés par la volupté et par le sang, pouvant contenter enfin à l'aise leurs appétits de richesse
15 et de luxure.

Écoutez l'histoire d'un semblable mariage d'amour.

*

Michel avait vingt-cinq ans lorsqu'il épousa Suzanne, une jeune femme de son âge, d'une maigreur nerveuse, ni laide, ni belle, mais ayant dans son visage effilé deux grands beaux
20 yeux qui allaient largement d'une tempe à l'autre. Ils vécurent trois années sans querelles, ne recevant guère que

1. Lorsque Zola écrit cette nouvelle pour *Le Figaro*, Adolphe Belot et Ernest Daudet viennent de publier dans ce même journal *La Vénus de Gordes*. Ce roman raconte les amours de Marguerite Rivarot dite Margaï, fille d'un riche fermier, mariée à Pascoul et devenue la maîtresse du cocher Furbice. Les deux amants tuent le mari, ils sont arrêtés et envoyés au bagne à Cayenne. Margaï y meurt de la fièvre jaune.
2. Zola réalisera effectivement ce projet avec *Thérèse Raquin*, son premier grand roman, qui sera publié un an plus tard (en 1867).
3. Furbice, Margaï et Pascoul sont les personnages de *La Vénus de Gordes*.
4. Bonheur.

Auguste Renoir, *Les Canotiers à Chatou*, 1879, huile sur toile.

Jacques, un ami du mari, dont la femme devint peu à peu passionnément amoureuse. Jacques se laissa aller à la douceur cuisante de cette passion. D'ailleurs, la paix du ménage ne fut pas troublée ; les amants étaient lâches, et reculaient devant la certitude d'un scandale. Sans en avoir conscience, ils en arrivèrent lentement au projet de se débarrasser de Michel. Un meurtre devait tout arranger, en leur permettant de s'aimer en liberté et selon la loi.

Un jour, ils décidèrent le mari à faire une partie de campagne[5]. On alla à Corbeil[6], et là, lorsque le dîner eut été commandé, Jacques proposa et fit accepter une promenade en canot sur la Seine. Il prit les rames et descendit la rivière, tandis que ses compagnons chantaient et riaient comme des enfants.

5. Excursion à la campagne. | **6.** Ville située au confluent de la Seine et de l'Essonne.

Quand la barque fut en pleine Seine, cachée derrière les hautes futaies[7] d'une île, Jacques saisit brusquement Michel et essaya de le jeter à l'eau. Suzanne cessa de chanter ; elle détourna la tête, pâle, les lèvres serrées, silencieuse et frissonnante. Les deux hommes luttèrent un instant sur le bord de la barque qui s'enfonçait en craquant. Michel, surpris, ne pouvant comprendre, se défendit, muet, avec l'instinct d'une bête qu'on attaque ; il mordit Jacques à la joue, enleva presque le morceau, et tomba dans la rivière en appelant sa femme avec rage et terreur. Il ne savait pas nager.

Alors Jacques, prenant Suzanne dans ses bras, se jeta à l'eau de façon à faire chavirer la barque. Puis il se mit à crier, à appeler au secours. Il soutenait la jeune femme, et, comme il était excellent nageur, il atteignit aisément la rive, où plusieurs personnes se trouvaient déjà rassemblées.

La terrible comédie était jouée. Suzanne, évanouie et froide, gisait sur le sable ; Jacques pleurait, se désespérait, implorant de prompts secours pour son ami. Le lendemain, les journaux racontèrent l'accident, et les amants ayant toujours été aussi prudents que lâches, la pensée qu'un crime avait pu être commis ne vint à personne. Jacques en fut quitte pour expliquer la large morsure de Michel, en disant qu'un clou de la barque lui avait déchiré la joue.

*

Il fallait attendre au moins treize mois. Les amants s'étaient concertés à l'avance et avaient décidé qu'ils agiraient avec la plus grande prudence. Ils évitèrent de se voir ; ils ne se rencontrèrent que devant témoins.

Le moindre empressement aurait peut-être éveillé les soupçons.

7. Forêts d'arbres élevés.

65 Jacques, pendant les huit premiers jours, alla régulièrement à la Morgue[8] chaque matin. Quand il eut retrouvé et reconnu sur une des dalles blanches le cadavre de Michel, il le réclama au nom de la veuve et le fit enterrer. Il avait commis froidement le crime, et il éprouva un frisson d'épouvante en face 70 de sa victime, horriblement défigurée, toute marbrée de taches bleues et vertes. Dès lors, il eut toujours devant les yeux le visage gonflé et grimaçant du noyé.

Dix-huit mois s'écoulèrent. Les amants se virent rarement; à chaque rencontre, ils éprouvèrent un étrange malaise. Ils 75 attribuèrent cette sensation pénible à la peur, à l'âpre désir qu'ils avaient d'en finir avec cette funèbre histoire, en se mariant et en goûtant enfin les douceurs de leur amour. Jacques souffrait surtout de sa solitude; les dents de Michel avaient laissé sur sa joue des traces blanches, et il semblait 80 parfois au meurtrier que ces cicatrices brûlaient sa chair et dévoraient son visage. Il espérait que Suzanne, sous ses baisers, apaiserait la cuisson des terribles brûlures.

Quand ils crurent avoir assez attendu, ils se marièrent, et toutes leurs connaissances applaudirent. Ils goûtèrent, 85 pendant les préparatifs de la noce, une joie nerveuse qui les trompa eux-mêmes. La vérité était que, depuis le crime, ils frissonnaient tous deux la nuit, secoués par d'effrayants cauchemars, et qu'ils avaient hâte de s'unir contre leur épouvante pour la vaincre.

*

90 Lorsqu'ils se trouvèrent seuls dans la chambre nuptiale, ils s'assirent, embarrassés et inquiets, devant un feu clair qui éclairait la pièce de larges clartés jaunes.

8. Institut médico-légal où l'on entrepose les cadavres à identifier.

Jacques voulut parler d'amour, mais sa bouche était sèche, et il ne put trouver un mot ; Suzanne, glacée et comme morte, 95 cherchait en elle avec désespoir sa passion qui s'en était allée de sa chair et de son cœur.

Alors, ils essayèrent d'être banals et de causer comme des gens qui se seraient vus pour la première fois. Mais les paroles leur manquèrent. Tous deux ils pensaient invinciblement au 100 pauvre noyé, et, tandis qu'ils échangeaient des mots vides, ils se devinaient l'un l'autre. Leur causerie cessa ; dans le silence, il leur sembla qu'ils continuaient à s'entretenir de Michel. Ce terrible silence, plein de phrases épouvantées et cruelles, devenait accablant, insoutenable. Suzanne, toute blanche dans sa 105 toilette de nuit, se leva et, tournant la tête :

« Vous l'avez vu à la Morgue ? demanda-t-elle d'une voix étouffée.

– Oui, répondit Jacques en frissonnant.

– Paraissait-il avoir beaucoup souffert ? »

110 Jacques ne put répondre. Il fit un geste, comme pour écarter une vision ignoble et odieuse, et il s'avança vers Suzanne, les bras ouverts.

« Embrasse-moi, dit-il en tendant la joue où se montraient des marques blanches.

115 – Oh ! non, jamais…, pas là ! » s'écria Suzanne qui recula en frémissant.

Ils s'assirent de nouveau devant le feu, effrayés et irrités. Leurs longs silences étaient coupés par des paroles amères, par des reproches et des plaintes.

120 Telle fut leur nuit de noces.

*

Dès lors, un drame navrant se passa entre les deux misérables. Je ne puis en raconter tous les actes, et je me contente d'indiquer brièvement les principales péripéties.

Le cadavre de Michel se mit entre Jacques et Suzanne. Au lit, ils s'écartaient l'un de l'autre et semblaient lui faire place. Dans leurs baisers, leurs lèvres devenaient froides, comme si la mort se fût placée entre leurs bouches. Et c'étaient des terreurs continuelles, des effrois brusques qui les séparaient, des hallucinations qui leur montraient leur victime partout et à chaque heure.

Cet homme et cette femme ne pouvaient plus s'aimer. Ils étaient tout à leur épouvante. Ils ne vivaient ensemble que pour se protéger contre le noyé. Parfois encore ils se serraient avec force l'un contre l'autre, s'unissaient avec désespoir, mais c'était afin d'échapper à leurs sinistres visions.

Puis la haine vint. Ils s'irritèrent contre leur crime, ils se désespérèrent d'avoir troublé leur vie à jamais. Alors ils s'accusèrent mutuellement. Jacques reprocha amèrement à Suzanne de l'avoir poussé au meurtre, et Suzanne lui cria qu'il mentait et qu'il était le seul coupable. La colère accroissait leurs angoisses, et chaque jour, pour le moindre souvenir, la querelle recommençait, plus âpre et plus cruelle. Les deux assassins tournaient ainsi comme des bêtes fauves, dans la vie de souffrance qu'ils s'étaient faite, se déchirant eux-mêmes, haletants, obligés de se taire.

Suzanne regretta Michel, le pleura tout haut, vanta au meurtrier les vertus de sa victime, et Jacques dut vivre en entendant toujours parler de cet homme qu'il avait jeté à l'eau et dont le cadavre était si horrible sur une dalle de la Morgue. Il avait souvent des heures de délire, et il accablait sa complice d'injures, la battait, lui répétait avec des cris l'histoire du meurtre, et lui prouvait que c'était elle qui avait tout fait, en lui donnant la folie de la passion.

S'il n'avait eu peur de trop souffrir, il se serait coupé la joue, pour enlever les traces des dents de Michel. Suzanne pleurait en regardant ces cicatrices, et le visage de Jacques était devenu pour elle un objet d'horreur dont la vue la secouait d'un éternel frisson.

*

Enfin se joua le dernier acte de ce drame poignant. Après
160 la haine, vinrent la crainte et la lâcheté ; les deux assassins eurent peur l'un de l'autre.

Ils comprirent qu'ils ne pouvaient vivre plus longtemps dans la fièvre du remords ; ils voyaient avec terreur leur abattement mutuel, et ils tremblaient en pensant que l'un deux parlerait
165 à coup sûr un jour ou l'autre.

***Thérèse Raquin*, film de Marcel Carné (1953), avec Simone Signoret et Raf Vallone.**

Alors ils se surveillèrent ; leurs souffrances étaient intolérables, mais ils ne voulaient pas la délivrance par le châtiment. Ils se suivirent partout, ils s'étudièrent dans leurs moindres actes ; à chaque nouvelle querelle, ils se menaçaient 170 de tout dire, puis ils se suppliaient à mains jointes de garder le silence, et ils restaient soupçonneux et farouches. Vie terrible, qui les traînait dans toutes les angoisses du remords et de l'effroi.

Ils en vinrent chacun à l'idée de se débarrasser d'un complice 175 redoutable. Suzanne espérait vivre plus calme, lorsqu'elle ne verrait plus la joue couturée de Jacques, et Jacques pensait pouvoir tuer son premier crime en tuant Suzanne.

Un jour, ils se surprirent, versant mutuellement du poison dans leurs verres. Ils éclatèrent en sanglots, leur fièvre tomba, 180 et ils se jetèrent dans les bras l'un de l'autre. Ils pleurèrent longtemps, demandant pardon, comprenant leur infamie[9], se disant que l'heure était venue de mourir. Ce fut là une dernière crise qui les soulagea.

Ils burent chacun le poison qu'ils avaient versé, et expi- 185 rèrent à la même heure, liés dans la mort comme ils avaient été liés dans le crime. On trouva sur une table leur confession, et c'est après avoir lu ce testament sinistre, que j'ai pu écrire l'histoire de ce mariage d'amour.

Émile Zola, « Un mariage d'amour »,
nouvelle publiée dans *Le Figaro* en décembre 1866.

9. Bassesse, ignominie.

Repérer et analyser

L'avertissement

Un avertissement est une sorte de petite préface dans laquelle l'auteur attire l'attention du lecteur sur quelques points particuliers de son ouvrage.

1 D'après l'avertissement (l. 1 à 16), dites ce qui a incité Zola à écrire la nouvelle.

2 **a.** Zola modifie l'histoire (voir la note 1, p. 69). Quels changements se propose-t-il d'effectuer ?
b. À quelle histoire le lecteur s'attend-il donc ?

3 À qui l'auteur s'adresse-t-il dans la dernière phrase de l'avertissement ? Quel effet cherche-t-il à produire ?

4 En quoi cet avertissement oriente-t-il la lecture du texte ?

Le narrateur

Le narrateur peut être extérieur à l'histoire mais se présenter comme un témoin.

5 **a.** À quelle personne le narrateur mène-t-il l'ensemble du récit ? A-t-il ou non participé aux événements ? Qui est-il ?
b. Quel pronom utilise-t-il dans la dernière phrase de la nouvelle ? Justifiez cet emploi.

La progression du récit

Un récit progresse en suivant un certain nombre d'étapes qui constituent le schéma narratif :
- une situation initiale qui présente les circonstances de départ (personnages, lieux, époque…) ;
- un événement qui lance l'action (élément déclencheur) ;
- une suite d'actions qui s'enchaînent ;
- un dernier événement qui permet à l'action de se dénouer (dénouement) ;
- une situation finale qui instaure un nouvel état d'équilibre.

6 Reconstituez les principales étapes du récit en repérant les étapes du schéma narratif. Appuyez-vous sur les indications temporelles.

Les personnages

7 Qui sont les trois personnages présents au début de la nouvelle ? Quelles relations les lient ou les opposent ?

8 Quel est le seul personnage qui est décrit physiquement ? Quel rôle ce personnage joue-t-il dans la naissance de l'adultère ?

Le cadre spatio-temporel et le rythme

9 **a.** Dans quels lieux l'action se déroule-t-elle ?
b. Quelle en est la durée approximative ?
c. À quels moments le narrateur accélère-t-il le récit ? Sur quelles scènes s'arrête-t-il ? Pour quelles raisons ?

Le naturalisme de Zola

La peinture des caractères

10 **a.** Relevez dans les lignes 17 à 29 et 51 à 58 trois adjectifs qui caractérisent les amants sur le plan moral. En quoi expliquent-ils le fait que les amants ont pu rester impunis ?
b. Étudiez le rôle de chacun dans le meurtre.

La peinture des passions et des sentiments

11 Quel est l'effet de la passion amoureuse ? Les amants peuvent-ils y échapper ? Quelle est la part du calcul et de la préméditation ?

12 Étudiez l'évolution des relations et des sentiments entre les amants : à quel moment sont-ils liés ? pourquoi s'éloignent-ils l'un de l'autre ? dans quelle circonstance se réunissent-ils à nouveau ?

13 Quel sentiment les empêche d'être heureux dans le crime ?

14 En quoi leur châtiment consiste-t-il ? Relevez des mots et expressions précis qui montrent qu'ils sont comme torturés.

La peinture de la violence

15 Étudiez le réalisme dramatique de la scène du meurtre en vous appuyant sur le lexique de la violence et sur le rythme des phrases.

16 **a.** Relevez les expressions qui caractérisent le visage du noyé. Quel est l'effet produit ?
b. Quels termes expriment la terrible situation des deux amants dans le dernier paragraphe ?

Le réalisme visionnaire

Chez Zola, la peinture de la réalité prend souvent la forme d'une vision saisissante.

17 Par quels souvenirs affreux l'amant meurtrier est-il poursuivi ? De quelles hallucinations les amants sont-ils la proie ? Comment l'auteur crée-t-il la dimension fantastique ?

18 **a.** En quoi la morsure présente-t-elle un caractère inquiétant ? S'estompe-t-elle avec le temps ?

b. De quoi cette morsure est-elle la marque ?

Le symbolisme des éléments

Les quatre éléments sont l'eau, le feu, la terre, l'air. Ils revêtent chez Zola une dimension symbolique : le feu par exemple peut symboliser la passion, la violence, ou encore la pureté (brûler c'est purifier).

19 **a.** L'eau est-elle associée à la vie ou à la mort ?

b. De quoi le feu qui brille dans la chambre nuptiale peut-il être le symbole ?

La dimension tragique

La tragédie classique est une œuvre dramatique en cinq actes, mettant en scène des personnages en proie à de fortes passions (amour, haine, jalousie…). L'action s'inscrit dans une progression qui conduit inéluctablement à la mort. La tragédie vise à susciter chez le spectateur la compassion pour les victimes et l'horreur de la démesure.

20 **a.** Relevez les termes qui évoquent une pièce de théâtre.

b. Quels sont les différents éléments qui permettent de rapprocher cette nouvelle d'une tragédie classique ? Par quel mécanisme inéluctable les événements s'enchaînent-ils ?

La visée

21 Commentez le titre de la nouvelle. En quoi est-il ambigu ?

22 **a.** Quelle leçon le narrateur entend-il donner ?

b. Quelle vision donne-t-il de la nature humaine ? de la passion ? Quelle comparaison est employée à la fois pour le mari (l. 36 à 45) et les amants (l. 136 à 145) ?

Lire et comparer

Thérèse Raquin, Émile Zola (1867)

Cette nouvelle a servi à Zola de scénario pour écrire *Thérèse Raquin*. L'extrait qui suit relate la scène du meurtre de Camille.

La barque allait s'engager dans un petit bras, sombre et étroit, s'enfonçant entre deux îles. On entendait, derrière l'une des îles, les chants adoucis d'une équipe de canotiers qui devaient remonter la Seine. Au loin, en amont, la rivière était libre.
Alors Laurent se leva et prit Camille à bras-le-corps. Le commis éclata de rire.
– Ah ! non, tu me chatouilles, dit-il, pas de ces plaisanteries-là… Voyons, finis : tu vas me faire tomber.
Laurent serra plus fort, donna une secousse. Camille se tourna et vit la figure effrayante de son ami, toute convulsionnée. Il ne comprit pas ; une épouvante vague le saisit. Il voulut crier, et sentit une main rude qui le serrait à la gorge. Avec l'instinct d'une bête qui se défend, il se dressa sur les genoux, se cramponnant au bord de la barque. Il lutta ainsi pendant quelques secondes.
– Thérèse ! Thérèse ! appela-t-il d'une voix étouffée et sifflante.
La jeune femme regardait, se tenant des deux mains à un banc du canot qui craquait et dansait sur la rivière. Elle ne pouvait fermer les yeux ; une effrayante contraction les tenait grands ouverts, fixés sur le spectacle horrible de la lutte. Elle était rigide, muette.
– Thérèse ! Thérèse ! appela de nouveau le malheureux qui râlait.
À ce dernier appel, Thérèse éclata en sanglots. Ses nerfs se détendaient. La crise qu'elle redoutait la jeta toute frémissante au fond de la barque. Elle y resta pliée, pâmée, morte.
Laurent secouait toujours Camille, en le serrant d'une main à la gorge. Il finit par l'arracher de la barque à l'aide de son autre main. Il le tenait en l'air, ainsi qu'un enfant, au bout de ses bras vigoureux. Comme il penchait la tête, découvrant le cou, sa victime, folle de rage et d'épouvante, se tordit, avança les dents et les enfonça dans ce cou. Et lorsque le meurtrier, retenant un cri de souffrance, lança brusquement le commis à la rivière, les dents de celui-ci lui emportèrent un morceau de chair.

Camille tomba en poussant un hurlement. Il revint deux ou trois fois sur l'eau, jetant des cris de plus en plus sourds.
Laurent ne perdit pas une seconde. Il releva le collet de son paletot pour cacher sa blessure. Puis, il saisit entre ses bras Thérèse évanouie, fit chavirer le canot d'un coup de pied, et se laissa tomber dans la Seine en tenant sa maîtresse. Il la soutint sur l'eau, appelant au secours d'une voix lamentable.
Les canotiers, dont il avait entendu les chants derrière la pointe de l'île, arrivaient à grands coups de rames. Ils comprirent qu'un malheur venait d'avoir lieu; ils opérèrent le sauvetage de Thérèse qu'ils couchèrent sur un banc, et de Laurent qui se mit à se désespérer de la mort de son ami. Il se jeta à l'eau, il chercha Camille dans les endroits où il ne pouvait être, il revint en pleurant, en se tordant les bras, en s'arrachant les cheveux. Les canotiers tentaient de le calmer, de le consoler.
– C'est ma faute, criait-il, je n'aurais pas dû laisser ce pauvre garçon danser et remuer comme il le faisait... À un moment, nous nous sommes trouvés tous les trois du même côté de la barque, et nous avons chaviré... En tombant, il m'a crié de sauver sa femme...
Il y eut, parmi les canotiers, comme cela arrive toujours, deux ou trois jeunes gens qui voulurent avoir été témoins de l'accident.
– Nous vous avons bien vus, disaient-ils... Aussi, que diable ! une barque, ce n'est pas aussi solide qu'un parquet... Ah ! la pauvre petite femme, elle va avoir un beau réveil !
Ils reprirent leurs rames, ils remorquèrent le canot et conduisirent Thérèse et Laurent au restaurant, où le dîner était prêt.

É. Zola, *Thérèse Raquin*, extrait du chapitre XI.

23 **a.** Pour comprendre le travail d'écriture d'un romancier, comparez la scène du meurtre dans la nouvelle et dans le roman :
- dites quels détails l'auteur a ajoutés ;
- étudiez le portrait et le comportement des personnages, le déroulement de l'action, la part des dialogues, des descriptions.

b. Quelle version vous paraît la plus dramatique ? Pourquoi ?

c. Quelle différence y a-t-il entre une nouvelle et un roman ?

Écrire

Adapter la nouvelle pour le théâtre

24 En vous aidant des chapitres, divisez la nouvelle en actes, donnez un titre à chacun d'eux en faisant ressortir la progression du drame entre les amants.

Lire et voir

Les amants criminels

25 **a.** Le motif des deux amants criminels qui se débarrassent du mari gênant est très fréquent, depuis la mythologie antique jusqu'à aujourd'hui. Ainsi la légende antique raconte que Clytemnestre assassine son mari Agamemnon, héros de la guerre de Troie, avec la complicité de son amant Égisthe. Cherchez ce récit et lisez-le.
b. Cherchez d'autres récits et des films qui illustrent ce motif.

La partie de campagne

26 Le motif de la partie de campagne est courant dans la littérature au XIXe siècle. Lisez par exemple *Une partie de campagne* de Guy de Maupassant.

Étudier une image

La partie de campagne

27 Le motif de la partie de campagne est également courant dans la peinture au XIXe siècle, comme l'illustrent les deux reproductions (ci-contre) qui représentent des scènes au bord de l'eau.
a. Décrivez les scènes reproduites sur ces deux tableaux.
b. Qu'est-ce qui suggère l'atmosphère de plaisir et de détente de la partie de campagne ? Étudiez, pour répondre, l'expression, la tenue, la posture et les occupations des personnages. Étudiez également le décor, la lumière et les couleurs.
c. Comparez l'atmosphère de ces tableaux et celle qui émane de la nouvelle de Zola.

Georges Seurat, *Un dimanche après-midi à l'île de la Grande Jatte*, 1885, huile sur toile.

Pierre-Auguste Renoir, *Le Déjeuner des canotiers*, 1881.

Nouvelle 3

Les Coquillages de M. Chabre

I

Le grand chagrin de M. Chabre était de ne pas avoir d'enfant. Il avait épousé une demoiselle Catinot, de la maison Desvignes et Catinot, la blonde Estelle, grande belle fille de dix-huit ans; et, depuis quatre ans, il attendait, anxieux, consterné, blessé de l'inulité de ses efforts.

M. Chabre était un ancien marchand de grains retiré. Il avait une belle fortune. Bien qu'il eût mené la vie chaste d'un bourgeois enfoncé dans l'idée fixe de devenir millionnaire, il traînait à quarante-cinq ans des jambes alourdies de vieillard. Sa face blême, usée par les soucis de l'argent, était plate et banale comme un trottoir. Et il se désespérait, car un homme qui a gagné cinquante mille francs[1] de rentes a certes le droit de s'étonner qu'il soit plus difficile d'être père que d'être riche.

La belle Mme Chabre avait alors vingt-deux ans. Elle était adorable avec son teint de pêche mûre, ses cheveux couleur de soleil, envolés sur sa nuque. Ses yeux d'un bleu vert semblaient une eau dormante, sous laquelle il était malaisé de lire. Quand son mari se plaignait de la stérilité de leur union, elle redressait sa taille souple, elle développait l'ampleur de ses hanches et de sa gorge; et le sourire qui pinçait le coin de ses lèvres disait clairement: « Est-ce ma faute ? » D'ailleurs, dans le cercle de ses relations, Mme Chabre était regardée comme une personne d'une éducation parfaite, incapable de faire causer d'elle, suffisamment dévote, nourrie enfin dans les bonnes traditions bourgeoises par une mère rigide.

1. En 1880, 1 franc correspond à 2,30 euros actuels; 50 000 francs à 115 000 euros.

Seules, les ailes fines de son petit nez blanc avaient parfois des battements nerveux, qui auraient inquiété un autre mari qu'un ancien marchand de grains.

30 Cependant, le médecin de la famille, le docteur Guiraud, gros homme fin et souriant, avait eu déjà plusieurs conversations particulières avec M. Chabre. Il lui expliquait combien la science est encore en retard. Mon Dieu ! non, on ne plantait pas un enfant comme un chêne. Pourtant, ne voulant 35 désespérer personne, il lui avait promis de songer à son cas. Et, un matin de juillet, il vint lui dire :

« Vous devriez partir pour les bains de mer, cher monsieur... Oui, c'est excellent. Et surtout mangez beaucoup de coquillages, ne mangez que des coquillages. »

40 M. Chabre, repris d'espérance, demanda vivement :

« Des coquillages, docteur ?... Vous croyez que des coquillages... ?

– Parfaitement ! On a vu le traitement réussir. Entendez-vous, tous les jours des huîtres, des moules, des clovisses, des 45 oursins, des arapèdes, même des homards et des langoustes. »

Puis, comme il se retirait, il ajouta négligemment, sur le seuil de la porte :

« Ne vous enterrez pas. Mme Chabre est jeune et a besoin de distractions... Allez à Trouville. L'air y est très bon. »

50 Trois jours après, le ménage Chabre partait. Seulement, l'ancien marchand de grains avait pensé qu'il était complètement inutile d'aller à Trouville, où il dépenserait un argent fou. On est également bien dans tous les pays pour manger des coquillages ; même, dans un pays perdu, les coquillages 55 devaient être plus abondants et moins chers. Quant aux amusements, ils seraient toujours trop nombreux. Ce n'était pas un voyage de plaisir qu'ils faisaient.

Un ami avait enseigné à M. Chabre la petite plage du Pouliguen, près de Saint-Nazaire. Mme Chabre, après un

60 voyage de douze heures, s'ennuya beaucoup, pendant la journée qu'ils passèrent à Saint-Nazaire, dans cette ville naissante, avec ses rues neuves tracées au cordeau[2], pleines encore de chantiers de construction. Ils allèrent visiter le port, ils se traînèrent dans les rues, où les magasins hésitent entre les 65 épiceries noires des villages et les grandes épiceries luxueuses des villes[3]. Au Pouliguen, il n'y avait plus un seul chalet à louer. Les petites maisons de planches et de plâtre, qui semblent entourer la baie des baraques violemment peinturlurées d'un champ de foire, se trouvaient déjà envahies par 70 des Anglais et par les riches négociants de Nantes. D'ailleurs, Estelle faisait une moue, en face de ces architectures, dans lesquelles des bourgeois artistes avaient donné carrière à leur imagination.

On conseilla aux voyageurs d'aller coucher à Guérande[4]. 75 C'était un dimanche. Quand ils arrivèrent, vers midi, M. Chabre éprouva un saisissement, bien qu'il ne fût pas de nature poétique. La vue de Guérande, de ce bijou féodal[5] si bien conservé, avec son enceinte fortifiée et ses portes profondes, surmontées de mâchicoulis[6], l'étonna. Estelle regar- 80 dait la ville silencieuse, entourée des grands arbres de ses promenades ; et, dans l'eau dormante de ses yeux, une rêverie souriait. Mais la voiture roulait toujours, le cheval passa au trot sous une porte, et les roues dansèrent sur le pavé pointu des rues étroites. Les Chabre n'avaient pas échangé une 85 parole.

« Un vrai trou ! murmura enfin l'ancien marchand de grains. Les villages, autour de Paris, sont mieux bâtis. »

2. Droites et symétriques.
3. En 1883, année où paraît cette nouvelle, Zola publie également *Au bonheur des dames*, roman qui évoque la mort du petit commerce lors de la création des grands magasins.
4. Ville fortifiée du XVe siècle, située dans le département de la Loire-Atlantique, où se déroule *Béatrix*, roman de Balzac : Zola a voulu évoquer cette ville dans une de ses œuvres, en hommage à son aîné.
5. Du Moyen Âge.
6. Tourelles au sommet d'une fortification.

Comme le ménage descendait de voiture devant l'hôtel du Commerce, situé au centre de la ville, à côté de l'église, justement on sortait de la grand-messe. Pendant que son mari s'occupait des bagages, Estelle fit quelques pas, très intéressée par le défilé des fidèles, dont un grand nombre portaient des costumes originaux. Il y avait là, en blouse blanche et en culotte bouffante, des paludiers[7] qui vivent dans les marais salants, dont le vaste désert s'étale entre Guérande et Le Croisic. Il y avait aussi des métayers[8], race complètement distincte, qui portaient la courte veste de drap et le large chapeau rond. Mais Estelle fut surtout ravie par le costume riche d'une jeune fille. La coiffe la serrait aux tempes et se terminait en pointe. Sur son corset rouge, garni de larges manches à revers, s'appliquait un plastron[9] de soie broché de fleurs voyantes. Et une ceinture, aux broderies d'or et d'argent, serrait ses trois jupes de drap bleu superposées, plissées à plis serrés; tandis qu'un long tablier de soie orange descendait, en laissant à découvert ses bas de laine rouge et ses pieds chaussés de petites mules jaunes.

« S'il est permis ! dit M. Chabre, qui venait de se planter derrière sa femme. Il faut être en Bretagne pour voir un pareil carnaval. »

Estelle ne répondit pas. Un grand jeune homme, d'une vingtaine d'années, sortait de l'église, en donnant le bras à une vieille dame. Il était très blanc de peau, la mine fière, les cheveux d'un blond fauve. On aurait dit un géant, aux épaules larges, aux membres déjà bossués de muscles, et si tendre, si délicat pourtant, qu'il avait la figure rose d'une jeune fille, sans un poil aux joues. Comme Estelle le regardait fixement, surprise de sa grande beauté, il tourna la tête, la regarda une seconde, et rougit.

7. Ceux qui travaillent le sel dans les marais salants.

8. Fermiers.

9. Vêtement qui recouvre la poitrine.

« Tiens ! murmura M. Chabre, en voilà un au moins qui a
120 une figure humaine. Ça fera un beau carabinier[10].

– C'est M. Hector, dit la servante de l'hôtel, qui avait entendu. Il accompagne sa maman, Mme de Plougastel[11]... Oh ! un enfant bien doux, bien honnête ! »

Pendant le déjeuner, à table d'hôte[12], les Chabre assistèrent
125 à une vive discussion. Le conservateur des hypothèques[13], qui prenait ses repas à l'hôtel du Commerce, vanta la vie patriarcale[14] de Guérande, surtout les bonnes mœurs de la jeunesse. À l'entendre, c'était l'éducation religieuse qui conservait ainsi l'innocence des habitants. Et il donnait des exemples, il citait
130 des faits. Mais un commis voyageur, arrivé du matin, avec des caisses de bijoux faux, ricanait, en racontant qu'il avait aperçu, le long du chemin, des filles et des garçons qui s'embrassaient derrère les haies. Il aurait voulu voir les gars du pays, si on leur avait mis sous le nez des dames aimables. Et
135 il finit par plaisanter la religion, les curés et les religieuses, si bien que le conservateur des hypothèques jeta sa serviette et s'en alla, suffoqué. Les Chabre avaient mangé, sans dire un mot, le mari furieux des choses qu'on entendait dans les tables d'hôte, la femme paisible et souriante, comme si elle ne
140 comprenait pas.

Pour occuper l'après-midi, le ménage visita Guérande. Dans l'église Saint-Aubin, il faisait une fraîcheur délicieuse. Ils s'y promenèrent doucement, levant les yeux vers les hautes voûtes, sous lesquelles des faisceaux de colonnettes montent
145 comme des fusées de pierre. Ils s'arrêtèrent devant les sculptures étranges des chapiteaux, où l'on voit des bourreaux scier des patients en deux, et les faire cuire sur des grils, tandis

10. Soldat armé d'une carabine.
11. Plougastel est une ville bretonne, située dans le Finistère.
12. Table où les clients mangent ensemble dans certains hôtels ou auberges.
13. Fonctionnaire des impôts.
14. Simple, paisible (qui rappelle la vie des peuples anciens, à l'époque biblique des patriarches).

qu'ils alimentent le feu avec de gros soufflets. Puis, ils parcoururent les cinq ou six rues de la ville, et M. Chabre garda son
50 opinion : décidément, c'était un trou, sans le moindre commerce, une de ces vieilleries du Moyen Âge, comme on en avait tant démoli déjà. Les rues étaient désertes, bordées de maisons à pignon, qui se tassaient les unes contre les autres, pareilles à de vieilles femmes lasses. Des toits pointus, des
55 poivrières[15] couvertes d'ardoises clouées, des tourelles d'angle, des restes de sculptures usés par le temps, faisaient de certains coins silencieux comme des musées dormant au soleil. Estelle, qui lisait des romans depuis qu'elle était mariée, avait des regards langoureux[16], en examinant les fenêtres à petites vitres
60 garnies de plomb. Elle songeait à Walter Scott[17].

Mais quand les Chabre sortirent de la ville pour en faire le tour, ils hochèrent la tête et durent convenir que c'était vraiment gentil. Les murailles de granit se développent sans une brèche, dorées par le soleil, intactes comme au premier jour.
65 Des draperies de lierre et de chèvrefeuille pendent seules des mâchicoulis. Sur les tours, qui flanquent les remparts, des arbustes ont poussé, des genêts d'or, des giroflées de flamme, dont les panaches de fleurs brûlent dans le ciel clair. Et, tout autour de la ville, s'étendent des promenades ombragées de
70 grands arbres, des ormes séculaires, sous lesquels l'herbe pousse. On marche là à petits pas, comme sur un tapis, en longeant les anciens fossés, comblés par endroits, changés plus loin en mares stagnantes dont les eaux moussues ont d'étranges reflets. Des bouleaux, contre les murailles, y
75 mirent[18] leurs troncs blancs. Des nappes de plantes y étalent leurs cheveux verts. Des coups de lumière glissent entre les

15. Petites tours d'angle à toit conique.
16. Mélancoliques, emplis d'une tristesse vague.
17. Romancier britannique du XIXe siècle qui situe ses intrigues romanesques au Moyen Âge. À Guérande, Estelle retrouve l'atmosphère de ses romans.
18. Reflètent.

arbres, éclairent des coins mystérieux, des enfoncements de poterne[19], où les grenouilles mettent seules leurs sauts brusques et effarés, dans le silence recueilli des siècles morts.

180 « Il y a dix tours, je les ai comptées ! » s'écria M. Chabre, lorsqu'il furent revenus à leur point de départ.

Les quatre portes de la ville l'avaient surtout frappé, avec leur porche étroit et profond, où une seule voiture pouvait passer à la fois. Est-ce que ce n'était pas ridicule, au dix-185 neuvième siècle, de rester enfermé ainsi ? C'est lui qui aurait rasé les portes, de vraies cidatelles, trouées de meurtrières, aux murs si épais, qu'on aurait pu bâtir à leur place deux maisons de six étages !

« Sans compter, ajoutait-il, les matériaux qu'on retirerait 190 également des remparts. »

Ils étaient alors sur le Mail, vaste promenade exhaussée, formant un quart de cercle, de la porte de l'est à la porte du sud. Estelle restait songeuse, en face de l'admirable horizon qui s'étendait à des lieues, au-delà des toitures du faubourg. 195 C'était d'abord une bande de nature puissante, des pins tordus par les vents de la mer, des buissons noueux, toute une végétation d'une verdure noire. Puis s'étendait le désert des marais salants, l'immense plaine nue, avec les miroirs des bassins carrés et les blancheurs des petits tas de sel, qui s'allumaient 200 sur la nappe grise des sables. Et, plus loin, à la limite du ciel, l'Océan mettait sa profondeur bleue. Trois voiles, dans ce bleu, semblaient trois hirondelles blanches.

« Voici le jeune homme de ce matin, dit tout d'un coup M. Chabre. Tu ne trouves pas qu'il ressemble au petit des 205 Larivière ? S'il avait une bosse, ce serait tout à fait ça. »

Estelle s'était lentement tournée. Mais Hector, planté au bord du Mail, l'air absorbé, lui aussi, par la vue lointaine de

19. Porte cachée dans la muraille d'un château ou d'une fortification.

Guérande (Loire-Atlantique), l'église, 1901. Photographie d'Ernest Roger.

la mer, ne parut pas s'apercevoir qu'on le regardait. Alors, la jeune femme se remit lentement à marcher. Elle s'appuyait 210 sur la longue canne de son ombrelle. Au bout d'une dizaine de pas, le nœud de l'ombrelle se détacha. Et les Chabre entendirent une voix derrière eux.

« Madame, madame... »

C'était Hector qui avait ramassé le nœud.

215 « Mille fois merci, monsieur », dit Estelle avec son tranquille sourire.

Il était bien doux, bien honnête, ce garçon. Il plut tout de suite à M. Chabre, qui lui confia son embarras sur le choix d'une plage et lui demanda même des renseignements. Hector, 220 très timide, balbutiait.

« Je ne crois pas que vous trouviez ce que vous cherchez ni au Croisic ni au bourg de Batz, dit-il en montrant les clochers de ces petites villes à l'horizon. Je vous conseille d'aller à Piriac[20]... »

225 Et il fournit des détails, Piriac était à trois lieues[21]. Il avait un oncle dans les environs. Enfin, sur une question de M. Chabre, il affirma que les coquillages s'y trouvaient en abondance.

La jeune femme tapait l'herbe rase du bout de son ombrelle. 230 Le jeune homme ne levait pas les yeux sur elle, comme très embarrassé par sa présence.

« Une bien jolie ville que Guérande, monsieur, finit par dire Estelle de sa voix flûtée.

– Oh ! bien jolie », balbutia Hector, en la dévorant brus- 235 quement du regard.

à suivre...

20. Zola y passa des vacances en juillet 1876 avec Charpentier, son éditeur, et sa femme, pour se reposer de l'écriture de *L'Assommoir*. C'est là qu'il écrivit la présente nouvelle.
21. Une lieue équivaut à peu près à quatre kilomètres.

Repérer et analyser

Le narrateur

1 À quelle personne le narrateur mène-t-il le récit ? Est-il personnage de l'histoire ou extérieur à l'histoire ?

2 Quel point de vue dominant adopte-t-il pour raconter les événements : omniscient, interne (voir leçon p. 22) ?

L'incipit

3 **a.** Sur quel personnage la nouvelle s'ouvre-t-elle ?
b. Quelle est la situation initiale ?
c. À quel temps est-elle présentée ?

4 **a.** Relevez la phrase qui présente un retour en arrière. Quel est le temps de l'indicatif utilisé ? Combien d'années le narrateur remonte-t-il ainsi ?
b. Quelles informations le narrateur fournit-il au lecteur par ce retour en arrière ?

5 **a.** Relevez les indications qui permettent de dresser les portraits de M. et Mme Chabre (nom, âge, métier, origines, position sociale).
b. Quelle image le narrateur donne-t-il d'emblée de ce couple ?

L'action et le cadre

6 **a.** Quel est le problème de M. Chabre ?
b. Dans quel but M. et Mme Chabre partent-ils en voyage ?

7 **a.** Où se rendent-ils précisément ?
b. Les lieux cités sont-ils réels ?

8 Quel personnage rencontrent-ils par deux fois ?

9 La description en mouvement

> Le narrateur peut décrire des lieux au fur et à mesure que les personnages les découvrent au cours d'une promenade ou d'un parcours.

Retracez l'itinéraire des Chabre lorsqu'ils visitent la ville de Guérande. Quels sont les différents lieux évoqués ? Quelles en sont les principales caractéristiques ?

La scène de première vue

La scène de première vue constitue un passage obligé et important dans les récits qui présentent une relation amoureuse : c'est le moment où les deux héros se voient pour la première fois et où leur amour s'amorce. Cette scène est en général annonciatrice de la suite.

10 Dans quelles circonstances Estelle rencontre-t-elle le jeune Hector ? Quelle est la réaction des jeunes gens ?

11 À quelle occasion se fait leur deuxième rencontre ? Leurs relations évoluent-elles d'une rencontre à l'autre ? Comment ?

12 **a.** Comment communiquent-ils lors de ces deux rencontres ? Relevez le champ lexical du regard.
b. Étudiez le double sens des paroles d'Hector : « Oh ! bien jolie » (l. 234).

Le mode de narration

Le rythme

À l'intérieur de la narration, le narrateur procède à des accélérations et des ralentissements. Ces variations participent au rythme du récit et permettent au narrateur de mettre en valeur telle ou telle scène. Le narrateur peut choisir de passer sous silence certains événements (ellipses), de les résumer (sommaires), ou de s'y attarder (scènes) en fonction de l'intensité dramatique qu'il cherche à produire.

13 À quelle ligne l'action commence-t-elle ? Relevez l'indication temporelle qui l'introduit et identifiez le temps de l'indicatif qui lui est associé.

14 **a.** Relevez les indications de temps.
b. Repérez l'ellipse de temps dans ce chapitre, précisez sa durée et son utilité.
c. Combien de temps le voyage dure-t-il ? En quoi le récit du voyage constitue-t-il un sommaire ?
d. Quelles sont les scènes les plus développées ? Justifiez ce choix par rapport à l'action et à l'évolution des personnages.

Les paroles rapportées

Le narrateur peut rapporter les paroles des personnages :
- au discours direct, en les citant entre guillemets ou dans un dialogue (ex : « "Je vous aime" ») ;

- au discours indirect, en les intégrant à la narration à l'aide d'un verbe de parole ou de pensée suivi d'une conjonction de subordination (ex : « Il lui dit qu'il l'aimait ») ;
- au discours indirect libre, en les intégrant à la narration sans verbe de parole ou de pensée ni mot subordonnant (ex : « Voulait-elle l'épouser ? »)
- par un récit de paroles, en signalant que des propos ont été tenus sur un sujet (ex : « Il lui avoua son amour »).

La façon dont le narrateur rapporte les paroles participe au rythme du récit (le style direct le ralentit, le style indirect et le récit de paroles l'accélèrent) ou permet au lecteur d'avoir une intimité plus complète avec un personnage (style indirect libre).

15 Relisez les lignes 33-34 (« Mon Dieu ! [...] un chêne »).
a. Ces propos sont-ils énoncés par le narrateur ou par le personnage ? Vous justifierez votre réponse en vous appuyant sur le temps verbal.
b. Comment les paroles sont-elles rapportées ici ?
16 Relisez la scène de la consultation qui suit. Comment sont rapportées les paroles ? Justifiez le choix de discours.
17 Délimitez le passage dans lequel le narrateur raconte la scène du déjeuner. Selon quel discours les paroles sont-elles rapportées ? Justifiez ce choix.
18 Relisez les lignes 225 à 228. Identifiez trois types de discours différents et justifiez les choix effectués.
19 « Est-ce que ce n'était pas ridicule, au dix-neuvième siècle, de rester enfermé ainsi ? » (l. 184-185).
a. À quel mode les paroles sont-elles rapportées dans cette phrase ?
b. Qui prononce ces paroles ?

Le naturalisme de Zola

La dualité des personnages

Les personnages de Zola présentent souvent une double nature reposant sur des éléments contradictoires.

20 Relisez le portrait d'Estelle (l. 15 à 29).
a. Quels indices laissent percevoir le tempérament qui se cache sous l'apparence réservée de la jeune femme ?

b. Quelle métaphore est utilisée pour décrire son regard ?
c. Par quel moyen s'évade-t-elle de sa vie quotidienne ?
21 Relisez le portrait d'Hector (« Il était très blanc [...] sans un poil aux joues », l. 112 à 116).
a. Quelle est l'apparence du jeune homme ?
b. Quelle nature se dissimule derrière cette apparence ? Citez des termes précis pour justifier votre réponse.

Le stéréotype du bourgeois

Un stéréotype est la représentation figée d'un type (milieu social, métier...).

22 Relisez les lignes 23 à 26. En quoi Mme Chabre a-t-elle reçu une éducation bourgeoise ?
23 **a.** Relevez dans le deuxième paragraphe la phrase qui décrit la vie de M. Chabre.
b. Comment juge-t-il les lieux qu'il visite et les coutumes qui leur sont attachées ?
c. Pour quelle raison M. Chabre est-il « furieux des choses qu'on entendait dans les tables d'hôte » (l. 138-139) ? Quelles sont ses convictions en matière d'éducation et de morale ?
d. Quelles réflexions lui inspirent les beautés de la ville de Guérande ?
e. En vous aidant de vos réponses précédentes, dressez le portrait de ce bourgeois, en caractérisant sa mentalité et ses idées.

Zola et la peinture

24 Relisez les lignes 195 à 202.
Qu'est-ce qui apparente cette description à un tableau ? Appuyez-vous sur l'évocation des formes, des couleurs, des lumières.
25 Relisez les lignes 161 à 179.
Relevez les effets de couleurs, d'ombres et de lumières qui rappellent la technique impressionniste.

La visée et les hypothèses de lecture

26 **a.** Comment Zola présente-t-il les bourgeois du second Empire et particulièrement M. Chabre ?
b. En quoi M. Chabre fait-il rire ? Appuyez-vous sur son physique, ses principes, son comportement.
27 À quelle suite le lecteur peut-il s'attendre ?

Étudier la langue

Transposer au discours direct

28 « Et il fournit des détails [...] s'y trouvaient en abondance » (l. 225 à 228). Transposez au discours direct les paroles d'Hector.

Écrire

Rédiger un portrait

29 En vous inspirant de la description de la Bretonne (l. 98 à 106), rédigez le portrait d'une personne au costume original ou pittoresque.

Se documenter

La lecture des romans au XIXe siècle

« Estelle, qui lisait des romans depuis qu'elle était mariée, avait des regards langoureux, en examinant les fenêtres à petites vitres garnies de plomb. Elle songeait à Walter Scott » (l. 157 à 160). La jeune femme compense la médiocrité de sa vie conjugale et sentimentale en lisant des histoires romantiques (Walter Scott en est un représentant) où de beaux jeunes gens sont emportés dans des aventures palpitantes qui font rêver les lecteurs.

On trouve ici un écho de *Madame Bovary* de Flaubert, que Zola admirait beaucoup. L'héroïne de ce roman, pétrie de lectures romanesques, a elle aussi des « langueurs », elle souffre de la vie médiocre que lui offre son mari Charles Bovary.

Voici ce qu'écrit Flaubert à propos des romans que lit Emma Bovary : « Ce n'étaient qu'amours, amants, amantes, dames persécutées s'évanouissant dans des pavillons solitaires, postillons qu'on tue à tous les relais, chevaux qu'on crève à toutes les pages, forêts sombres, troubles du cœur, serments, sanglots, larmes et baisers, nacelles au clair de lune, rossignols dans les bosquets, *messieurs* braves comme des lions, doux comme des agneaux [...]. Avec Walter Scott, plus tard, elle s'éprit de choses historiques, rêva bahuts, salle des gardes et ménestrels » (première partie, chapitre 6).

II

Un matin, trois jours après l'installation du ménage à Piriac, M. Chabre, debout sur la plate-forme de la jetée qui protège le petit port, surveillait placidement[1] le bain d'Estelle, en train de faire la planche. Le soleil était déjà très chaud ; et, correc-240 tement habillé, en redingote noire et en chapeau de feutre, il s'abritait sous une ombrelle de touriste, à doublure verte.

« Est-elle bonne ? demanda-t-il pour avoir l'air de s'intéresser au bain de sa femme.

– Très bonne ! » répondit Estelle, en se remettant sur le 245 ventre.

Jamais M. Chabre ne se baignait. Il avait une grande terreur de l'eau, qu'il dissimulait en disant que les médecins lui défendaient formellement les bains de mer. Quand une vague, sur le sable, roulait jusqu'à ses semelles, il se reculait avec un tres-250 saillement, comme devant une bête méchante montrant les dents. D'ailleurs, l'eau aurait dérangé sa correction habituelle, il la trouvait malpropre et inconvenante.

« Alors, elle est bonne ? » répéta-t-il, étourdi par la chaleur, pris d'une somnolence inquiète sur ce bout de jetée.

255 Estelle ne répondit pas, battant l'eau de ses bras, nageant en chien. D'une hardiesse garçonnière, elle se baignait pendant des heures, ce qui consternait son mari, car il croyait décent de l'attendre sur le bord. À Piriac, Estelle avait trouvé le bain qu'elle aimait. Elle dédaignait la plage en pente, qu'il faut 260 descendre longtemps, avant d'enfoncer jusqu'à la ceinture. Elle se rendait à l'extrémité de la jetée, enveloppée dans son peignoir de molleton blanc, le laissait glisser de ses épaules et piquait tranquillement une tête. Il lui fallait six mètres de fond, disait-elle, pour ne pas se cogner aux rochers. Son costume de 265 bain sans jupe, fait d'une seule pièce, dessinait sa haute taille ;

1. Calmement.

et la longue ceinture bleue qui lui ceignait les reins la cambrait, les hanches balancées d'un mouvement rythmique. Dans l'eau claire, les cheveux emprisonnés sous un bonnet de caoutchouc, d'où s'échappaient des mèches folles, elle avait la souplesse d'un poisson bleuâtre, à tête de femme, inquiétante et rose.

M. Chabre était là depuis un quart d'heure, sous le soleil ardent. Trois fois déjà, il avait consulté sa montre. Il finit par se hasarder à dire timidement :

« Tu restes bien longtemps, ma bonne… Tu devrais sortir, les bains si longs te fatiguent.

– Mais j'entre à peine ! cria la jeune femme. On est comme dans du lait. »

La Vague, dessin de F. Rebour pour *Le Sourire* en 1921.

Puis, se remettant sur le dos :

« Si tu t'ennuies, tu peux t'en aller… Je n'ai pas besoin de
280 toi. »

Il protesta de la tête, il déclara qu'un malheur était si vite arrivé ! Et Estelle souriait, en songeant de quel beau secours lui serait son mari, si elle était prise d'une crampe. Mais brusquement, elle regarda de l'autre côté de la jetée, dans la baie
285 qui se creuse à gauche du village.

« Tiens ! dit-elle, qu'est-ce qu'il y a donc là-bas ? Je vais voir. »

Et elle fila rapidement, par brassées longues et régulières.

« Estelle ! Estelle ! criait M. Chabre. Veux-tu bien ne pas t'éloigner !… Tu sais que je déteste les imprudences. »

290 Mais Estelle ne l'écoutait pas, il dut se résigner. Debout, se haussant pour suivre la tache blanche que le chapeau de paille de sa femme faisait sur l'eau, il se contenta de changer de main son ombrelle, sous laquelle l'air surchauffé le suffoquait de plus en plus.

295 « Qu'a-t-elle donc vu ? murmurait-il. Ah ! oui, cette chose qui flotte là-bas… Quelque saleté. Un paquet d'algues, bien sûr. Ou un baril… Tiens ! non, ça bouge. »

Et, tout d'un coup, il reconnut l'objet.

« Mais c'est un monsieur qui nage ! »

300 Estelle, cependant, après quelques brassées, avait aussi parfaitement reconnu que c'était un monsieur. Alors, elle cessa de nager droit à lui, ce qu'elle sentait peu convenable. Mais, par coquetterie, heureuse de montrer sa hardiesse, elle ne revint pas à la jetée, elle continua de se diriger vers la pleine
305 mer. Elle avançait paisiblement, sans paraître apercevoir le nageur. Celui-ci, comme si un courant l'avait porté, obliquait peu à peu vers elle. Puis, quand elle se tourna pour revenir à la jetée, il y eut une rencontre qui parut toute fortuite[2].

2. Due au hasard.

« Madame, votre santé est bonne ? demanda poliment le
310 monsieur.

– Tiens ! c'est vous, monsieur ! » dit gaiement Estelle.

Et elle ajouta avec un léger rire :

« Comme on se retrouve tout de même ! »

C'était le jeune Hector de Plougastel. Il restait très timide,
315 très fort et très rose dans l'eau. Un instant, ils nagèrent sans parler, à une distance décente. Ils étaient obligés de hausser la voix pour s'entendre. Pourtant, Estelle crut devoir se montrer polie.

« Nous vous remercions de nous avoir indiqué Piriac… Mon
320 mari est enchanté.

– C'est votre mari, n'est-ce pas, ce monsieur tout seul qui est là-bas sur la jetée ? demanda Hector.

– Oui, monsieur », répondit-elle.

Et ils se turent de nouveau. Ils regardaient le mari, grand
325 comme un insecte noir, au-dessus de la mer. M. Chabre, très intrigué, se haussait davantage, en se demandant quelle connaissance sa femme avait bien pu rencontrer en plein Océan. C'était indubitable, sa femme causait avec le monsieur. Il les voyait tourner la tête l'un vers l'autre. Ce devait être un
330 de leurs amis de Paris. Mais il avait beau chercher, il ne trouvait personne dans leurs relations qui aurait osé s'aventurer ainsi. Et il attendait, en imprimant à son ombrelle un mouvement de toupie, pour se distraire.

« Oui, expliquait Hector à la belle Mme Chabre, je suis
335 venu passer quelques jours chez mon oncle, dont vous apercevez là-bas le château, à mi-côte. Alors, tous les jours, pour prendre mon bain, je pars de cette pointe, en face de la terrasse, et je vais jusqu'à la jetée. Puis, je retourne. En tout, deux kilomètres. C'est un exercice excellent… Mais vous,
340 madame, vous être très brave. Je n'ai jamais vu une dame aussi brave.

– Oh ! dit Estelle, toute petite j'ai pataugé... L'eau me connaît bien. Nous sommes de vieilles amies. »

Peu à peu, ils se rapprochaient, pour ne pas avoir à crier si 345 fort. La mer, par cette chaude matinée, dormait, pareille à un vaste pan de moire[3]. Des plaques de satin s'étendaient, puis des bandes qui ressemblaient à une étoffe plissée, s'allongeaient, s'agrandissaient, portant au loin le léger frisson des courants. Quand ils furent près l'un de l'autre, la conversa-350 tion devint plus intime.

L'admirable journée ! Et Hector indiquait à Estelle plusieurs points des côtes. Là, ce village, à un kilomètre de Piriac, c'était Port-aux-Loups ; en face se trouvait le Morbihan, dont les falaises blanches se détachaient avec la netteté d'une touche 355 d'aquarelle ; enfin de l'autre côté, vers la pleine mer, l'île Dumet faisait une tache grise, au milieu de l'eau bleue. Estelle, à chaque indication, suivait le doigt d'Hector, s'arrêtait un instant pour regarder. Et cela l'amusait de voir ces côtes lointaines, les yeux au ras de l'eau, dans un infini limpide. Quand elle se tournait 360 vers le soleil, c'était un éblouissement, la mer semblait se changer en un Sahara sans bornes, avec la réverbération aveuglante de l'astre sur l'immensité décolorée des sables.

« Comme c'est beau ! murmurait-elle, comme c'est beau ! »

Elle se mit sur le dos pour se reposer. Elle ne bougeait plus, 365 les mains en croix, la tête rejetée en arrière, s'abandonnant. Et ses jambes blanches, ses bras blancs flottaient.

« Alors, vous êtes né à Guérande, monsieur ? » demanda-t-elle.

Afin de causer plus commodément, Hector se mit également 370 sur le dos.

« Oui, madame, répondit-il. Je ne suis jamais allé qu'une fois à Nantes. »

3. Tissu qui a un aspect changeant, chatoyant.

Il donna des détails sur son éducation. Il avait grandi auprès de sa mère, qui était d'une dévotion étroite, et qui gardait 375 intactes les traditions de l'ancienne noblesse. Son précepteur, un prêtre, lui avait appris à peu près ce qu'on apprend dans les collèges, en y ajoutant beaucoup de catéchisme et de blason[4]. Il montait à cheval, tirait l'épée, était rompu aux exercices du corps. Et, avec cela, il semblait avoir une inno- 380 cence de vierge, car il communiait tous les huit jours, ne lisait jamais de romans, et devait épouser à sa majorité une cousine à lui, qui était laide.

« Comment ! vous avez vingt ans à peine ! » s'écria Estelle, en jetant un coup d'œil étonné sur ce colosse enfant.

385 Elle devint maternelle. Cette fleur de la forte race bretonne l'intéressait. Mais, comme ils restaient tous deux sur le dos, les yeux perdus dans la transparence du ciel, ne s'inquiétant plus autrement de la terre, ils furent poussés si près l'un de l'autre, qu'il la heurta légèrement.

390 « Oh ! pardon ! » dit-il.

Il plongea, reparut quatre mètres plus loin. Elle s'était remise à nager et riait beaucoup.

« C'est un abordage », criait-elle.

Lui, était très rouge. Il se rapprochait, en la regardant 395 sournoisement. Elle lui semblait délicieuse, sous son chapeau de paille rabattu. On ne voyait que son visage, dont le menton à fossette trempait dans l'eau. Quelques gouttes tombant des mèches blondes échappées du bonnet mettaient des perles dans le duvet des joues. Et rien n'était exquis comme ce 400 sourire, cette tête de jolie femme qui s'avançait à petit bruit, en ne laissant derrière elle qu'un filet d'argent.

Hector devint plus rouge encore, lorsqu'il s'aperçut qu'Estelle se savait regardée et s'égayait de la singulière figure qu'il devait faire.

4. Ce qui concerne les armoiries, les emblèmes des grandes familles médiévales.

405 « Monsieur votre mari paraît s'impatienter, dit-il pour renouer la conversation.

– Oh ! non, répondit-elle tranquillement, il a l'habitude de m'attendre, quand je prends mon bain. »

À la vérité, M. Chabre s'agitait. Il faisait quatre pas en 410 avant, revenait, puis repartait, en imprimant à son ombrelle un mouvement de rotation plus vif, dans l'espoir de se donner de l'air. La conversation de sa femme avec le nageur inconnu commençait à le surprendre.

Estelle songea tout à coup qu'il n'avait peut-être pas 415 reconnu Hector.

« Je vais lui crier que c'est vous », dit-elle.

Et, lorsqu'elle put être entendue de la jetée, elle haussa la voix.

« Tu sais, mon ami, c'est ce monsieur de Guérande qui a été 420 si aimable.

– Ah ! très bien, très bien », cria à son tour M. Chabre.

Il ôta son chapeau et salua.

« L'eau est bonne, monsieur ? demanda-t-il avec politesse.

– Très bonne, monsieur », répondit Hector.

425 Le bain continua sous les yeux du mari, qui n'osait plus se plaindre, bien que ses pieds fussent cuits par les pierres brûlantes. Au bout de la jetée, la mer était d'une transparence admirable. On apercevait nettement le fond, à quatre ou cinq mètres, avec son sable fin, ses quelques galets mettant 430 une tache noire ou blanche, ses herbes minces, debout, balançant leurs longs cheveux. Et ce fond limpide amusait beaucoup Estelle. Elle nageait doucement, pour ne pas trop agiter la surface ; puis, penchée, avec de l'eau jusqu'au nez, elle regardait sous elle se dérouler le sable et les galets, dans la 435 mystérieuse et vague profondeur. Les herbes surtout lui donnaient un léger frisson, lorsqu'elle passait au-dessus d'elles. C'étaient des nappes verdâtres, comme vivantes,

remuant des feuilles découpées et pareilles à un fourmillement de pattes de crabes, les unes courtes, ramassées, tapies 440 entre deux roches, les autres dégingandées, allongées et souples ainsi que des serpents. Elle jetait de petits cris, annonçant ses découvertes.

« Oh ! cette grosse pierre ! on dirait qu'elle bouge... Oh ! cet arbre, un vrai arbre, avec des branches !... Oh ! ça, c'est un 445 poisson ! Il file raide. »

Puis, tout d'un coup, elle se récria.

« Qu'est-ce que c'est donc ? un bouquet de mariée !... Comment ! il y a des bouquets de mariée dans la mer ?... Voyez, si on ne dirait pas des fleurs blanches. C'est très joli, 450 très joli... »

Aussitôt Hector plongea. Et il reparut, tenant une poignée d'herbes blanchâtres, qui tombèrent et se fanèrent en sortant de l'eau.

« Je vous remercie bien, dit Estelle. Il ne fallait pas vous 455 donner la peine... Tiens ! mon ami, garde-moi ça. »

Et elle jeta la poignée d'herbes aux pieds de M. Chabre. Pendant un instant encore, la jeune femme et le jeune homme nagèrent. Ils faisaient une écume bouillonnante, avançaient par brassées saccadées. Puis, tout d'un coup, leur nage 460 semblait s'endormir, ils glissaient avec lenteur, en élargissant seulement autour d'eux des cercles qui oscillaient et se mouraient. C'était comme une intimité discrète et sensuelle, de se rouler ainsi dans le même flot. Hector, à mesure que l'eau se refermait sur le corps fuyant d'Estelle, cherchait à se 465 glisser dans le sillage qu'elle laissait, à retrouver la place et la tiédeur de ses membres. Autour d'eux, la mer s'était calmée encore, d'un bleu dont la pâleur tournait au rose.

« Ma bonne, tu vas prendre froid, murmura M. Chabre qui suait à grosses gouttes.

470 – Je sors, mon ami », répondit-elle.

Elle sortit en effet, remonta vivement à l'aide d'une chaîne, le long du talus oblique de la jetée. Hector devait guetter sa sortie. Mais, quand il leva la tête au bruit de pluie qu'elle faisait, elle était déjà sur la plate-forme, enveloppée dans son peignoir. Il eut une figure si surprise et si contrariée, qu'elle sourit, en grelottant un peu ; et elle grelottait, parce qu'elle se savait charmante, agitée ainsi d'un frisson, grande, détachant sa silhouette drapée sur le ciel.

Le jeune homme dut prendre congé.

« Au plaisir de vous revoir, monsieur », dit le mari.

Et, pendant qu'Estelle, en courant sur les dalles de la jetée, suivait au-dessus de l'eau la tête d'Hector qui retraversait la baie, M. Chabre venait derrière elle, gravement, tenant à la main l'herbe marine cueillie par le jeune homme, le bras tendu pour ne pas mouiller sa redingote.

III

Les Chabre avaient loué à Piriac le premier étage d'une grande maison, dont les fenêtres donnaient sur la mer. Comme on ne trouvait dans le village que des cabarets borgnes[5], ils avaient dû prendre une femme du pays, qui leur faisait la cuisine. Une étrange cuisine par exemple, des rôtis réduits en charbon, et des sauces de couleur inquiétante, devant lesquelles Estelle préférait manger du pain. Mais, comme le disait M. Chabre, on n'était pas venu pour la gourmandise. Lui, d'ailleurs, ne touchait guère aux rôtis ni aux sauces. Il se bourrait de coquillages, matin et soir, avec une conviction d'homme qui s'administre une médecine. Le pis était qu'il détestait ces bêtes inconnues, aux formes bizarres, élevé dans une cuisine bourgeoise, fade et lavée, ayant un goût d'enfant pour les sucreries. Les coquillages lui emportaient la bouche,

5. Louches.

Ernst Heilemann, illustration de 1908, Berlin.

500 salés, poivrés, de saveurs si imprévues et si fortes, qu'il ne pouvait dissimuler une grimace en les avalant ; mais il aurait avalé les coquilles, s'il l'avait fallu, tant il s'entêtait dans son désir d'être père.

« Ma bonne, tu n'en manges pas ! » criait-il souvent à Estelle.

505 Il exigeait qu'elle en mangeât autant que lui. C'était nécessaire pour le résultat, disait-il. Et des discussions s'engageaient.

Estelle prétendait que le docteur Guiraud n'avait pas parlé d'elle. Mais lui, répondait qu'il était logique de se soumettre l'un et l'autre au traitement. Alors, la jeune femme pinçait les lèvres, jetait de clairs regards sur l'obésité blême de son mari. Un irrésistible sourire creusait légèrement la fossette de son menton. Elle n'ajoutait rien, n'aimant à blesser personne. Même, ayant découvert un parc d'huîtres, elle avait fini par en manger une douzaine à chacun de ses repas. Ce n'était point que, personnellement, elle eût besoin d'huîtres, mais elle les adorait.

La vie, à Piriac, était d'une monotonie ensommeillée. Il y avait seulement trois familles de baigneurs, un épicier en gros de Nantes, un ancien notaire de Guérande, homme sourd et naïf, un ménage d'Angers qui pêchait toute la journée, avec de l'eau jusqu'à la ceinture. Ce petit monde faisait peu de bruit. On se saluait, quand on se rencontrait, et les relations n'allaient pas plus loin. Sur le quai désert, la grosse émotion était de voir de loin en loin deux chiens se battre.

Estelle, habituée au vacarme de Paris, se serait ennuyée mortellement, si Hector n'avait fini par leur rendre visite tous les jours. Il devint le grand ami de M. Chabre, à la suite d'une promenade qu'ils firent ensemble sur la côte. M. Chabre, dans un moment d'expansion, confia au jeune homme le motif de leur voyage, tout en choisissant les termes les plus chastes pour ne pas offenser la pureté de ce grand garçon. Lorsqu'il eut expliqué scientifiquement pourquoi il mangeait tant de coquillages, Hector, stupéfié, oubliant de rougir, le regarda de la tête aux pieds, sans songer à cacher sa surprise qu'un homme pût avoir besoin de se mettre à un tel régime. Cependant, le lendemain, il s'était présenté avec un petit panier plein de clovisses, que l'ancien marchand de grains avait accepté d'un air de reconnaissance. Et, depuis ce jour, très habile à toutes les pêches, connaissant chaque roche de

540 la baie, il ne venait plus sans apporter des coquillages. Il lui fit manger des moules superbes qu'il allait ramasser à mer basse, des oursins qu'il ouvrait et nettoyait en se piquant les doigts, des arapèdes qu'il détachait des rochers avec la pointe d'un couteau, toutes sortes de bêtes qu'il appelait de noms 545 barbares, et auxquelles il n'avait jamais goûté lui-même. M. Chabre, enchanté, n'ayant plus à débourser un sou, se confondait en remerciements.

Maintenant, Hector trouvait toujours un prétexte pour entrer. Chaque fois qu'il arrivait avec son petit panier, et qu'il 550 rencontrait Estelle, il disait la même phrase:

« J'apporte des coquillages pour M. Chabre. »

Et tous deux souriaient, les yeux rapetissés et luisants. Les coquillages de M. Chabre les amusaient.

Dès lors, Estelle trouva Piriac charmant. Chaque jour, après 555 le bain, elle faisait une promenade avec Hector. Son mari les suivait à distance, car ses jambes étaient lourdes, et ils allaient souvent trop vite pour lui. Hector montrait à la jeune femme les anciennes splendeurs de Piriac, des restes de sculptures, des portes et des fenêtres à rinceaux[6], très délicatement 560 travaillées. Aujourd'hui, la ville de jadis est un village perdu, aux rues barrées de fumier, étranglées entre des masures[7] noires. Mais la solitude y est si douce, qu'Estelle enjambait les coulées d'ordure, intéressée par le moindre bout de muraille, jetant des coups d'œil surpris dans les intérieurs des 565 habitants, où tout un bric-à-brac de misère traînait sur la terre battue. Hector l'arrêtait devant les figuiers superbes, aux larges feuilles de cuir velu, dont les jardins sont plantés, et qui allongent leurs branches par-dessus les clôtures basses. Ils entraient dans les ruelles les plus étroites, ils se penchaient 570 sur les margelles des puits, au fond desquels ils apercevaient

6. Ornements architecturaux, peints ou sculptés, qui représentent des végétaux.
7. Maisons délabrées, cabanes.

leurs images souriantes, dans l'eau claire, blanche comme une glace; tandis que, derrière eux, M. Chabre digérait ses coquillages, abrité sous la percaline verte de son ombrelle, qu'il ne quittait jamais.

575 Une des grandes gaietés d'Estelle était les oies et les cochons, qui se promenaient en bandes, librement. Dans les premiers temps, elle avait eu très peur des cochons, dont les allures brusques, les masses de graisse roulant sur des pattes minces, lui donnaient la continuelle inquiétude d'être heurtée et 580 renversée; ils étaient aussi bien sales, le ventre noir de boue, le groin barbouillé, ronflant à terre. Mais Hector lui avait juré que les cochons étaient les meilleurs enfants du monde. Et, maintenant, elle s'amusait de leurs courses inquiètes à l'heure de la pâtée, elle s'émerveillait de leur robe de soie rose, d'une 585 fraîcheur de robe de bal, quand il avait plu. Les oies aussi l'occupaient. Dans un trou à fumier, au bout d'une ruelle, souvent deux bandes d'oies arrivaient, chacune de son côté. Elles semblaient se saluer d'un claquement de bec, se mêlaient, happaient ensemble des épluchures de légumes. Une, en l'air, 590 au sommet du tas, l'œil rond, le cou raidi, comme calée sur ses pattes et gonflant le duvet blanc de sa panse, avait une majesté tranquille de souverain, au grand nez jaune; tandis que les autres, le cou plié, cherchaient à terre, avec une musique rauque. Puis, brusquement, la grande oie descendait 595 en jetant un cri; et les oies de sa bande la suivaient, tous les cous allongés du même côté, filant en mesure dans un déhanchement d'animaux infirmes. Si un chien passait, les cous se tendaient davantage et sifflaient. Alors, la jeune femme battait des mains, suivait le défilé majestueux des deux sociétés[8] qui 600 rentraient chez elles, en personnes graves appelées par des affaires importantes. Un des amusements était encore de voir

8. Groupes, compagnies.

se baigner les cochons et les oies, qui descendaient l'après-midi sur la plage prendre leur bain, comme des hommes.

Le premier dimanche, Estelle crut devoir aller à la messe. 605 Elle ne pratiquait pas, à Paris. Mais, à la campagne, la messe était une distraction, une occasion de s'habiller et de voir du monde. D'ailleurs, elle y retrouva Hector lisant dans un énorme paroissien[9] à reliure usée. Par-dessus le livre, il ne cessa de la regarder, les lèvres sérieuses, mais les yeux si 610 luisants, qu'on y devinait des sourires. À la sortie, il lui offrit le bras, pour traverser le petit cimetière qui entoure l'église. Et, l'après-midi, après les vêpres, il y eut un autre spectacle, une procession à un calvaire[10] planté au bout du village. Un paysan marchait le premier, tenant une bannière de soie 615 violette brochée d'or, à hampe[11] rouge. Puis, deux longues files de femmes s'espaçaient largement. Les prêtres venaient au milieu, un curé, un vicaire et le précepteur d'un château voisin, chantant à pleine voix. Enfin, derrière, à la suite d'une bannière blanche portée par une grosse fille aux bras hâlés, 620 piétinait la queue des fidèles, qui se traînait avec un fort bruit de sabots, pareille à un troupeau débandé[12]. Quand la procession passa sur le port, les bannières et les coiffes blanches des femmes se détachèrent au loin sur le bleu ardent de la mer; et ce lent cortège dans le soleil prit une grande pureté.

625 Le cimetière attendrissait beaucoup Estelle. Elle n'aimait pas les choses tristes, d'habitude. Le jour de son arrivée, elle avait eu un frisson, en apercevant toutes ces tombes, qui se trouvaient sous sa fenêtre. L'église était sur le port, entourée des croix, dont les bras se tendaient vers l'immensité des eaux 630 et du ciel; et, les nuits de vent, les souffles du large pleuraient dans cette forêt de planches noires. Mais elle s'était vite

9. Livre de messe, missel.
10. Croix religieuse souvent placée à un croisement.
11. Manche de bois.
12. Désordonné.

habituée à ce deuil, tant le petit cimetière avait une douceur gaie. Les morts semblaient y sourire, au milieu des vivants qui les coudoyaient. Comme le cimetière était clos d'un mur bas, 635 à hauteur d'appui, et qu'il bouchait le passage au centre même de Piriac, les gens ne se gênaient point pour enjamber le mur et suivre les allées, à peine tracées dans les hautes herbes. Les enfants jouaient là, une débandade d'enfants lâchés au travers des dalles de granit. Des chats blottis sous des arbustes bondis- 640 saient brusquement, se poursuivaient; souvent, on y entendait des miaulements de chattes amoureuses, dont on voyait les silhouettes hérissées et les grandes queues balayant l'air. C'était un coin délicieux, envahi par les végétations folles, planté de fenouils gigantesques, aux larges ombrelles jaunes, d'une odeur 645 si pénétrante, qu'après les journées chaudes, des souffles d'anis, venus des tombes, embaumaient Piriac tout entier. Et, la nuit, quel champ tranquille et tendre! La paix du village endormi semblait sortir du cimetière. L'ombre effaçait les croix, des promeneurs attardés s'asseyaient sur des bancs de granit, 650 contre le mur, pendant que la mer, en face, roulait ses vagues, dont la brise apportait la poussière salée.

Estelle, un soir qu'elle rentrait au bras d'Hector, eut l'envie de traverser le champ désert. M. Chabre trouva l'idée romanesque[13] et protesta en suivant le quai. Elle dut quitter le bras 655 du jeune homme, tant l'allée était étroite. Au milieu des hautes herbes, sa jupe faisait un long bruit. L'odeur des fenouils était si forte, que les chattes amoureuses ne se sauvaient point, pâmées[14] sous les verdures. Comme ils entraient dans l'ombre de l'église, elle sentit à sa taille la main d'Hector. Elle eut peur 660 et jeta un cri.

« C'est bête! dit-elle, quand ils sortirent de l'ombre, j'ai cru qu'un revenant m'emportait. »

13. Du point de vue de M. Chabre, idée fantaisiste, inutile. | 14. Comme défaillantes.

Hector se mit à rire et donna une explication.

« Oh ! une branche, quelque fenouil qui a fouetté vos
665 jupes ! »

Ils s'arrêtèrent, regardèrent les croix autour d'eux, ce profond calme de la mort qui les attendrissait ; et, sans ajouter un mot, ils s'en allèrent, très troublés.

« Tu as eu peur, je t'ai entendue, dit M. Chabre. C'est bien
670 fait ! »

À la mer haute, par distraction, on allait voir arriver les bateaux de sardines. Lorsqu'une voile se dirigeait vers le port, Hector la signalait au ménage. Mais le mari, dès le sixième bateau, avait déclaré que c'était toujours la même chose.
675 Estelle, au contraire, ne paraissait pas se lasser, trouvait un plaisir de plus en plus vif à se rendre sur la jetée. Il fallait courir souvent. Elle sautait sur les grosses pierres descellées, laissait voler ses jupes qu'elle empoignait d'une main, afin de ne pas tomber. Elle étouffait, en arrivant, les mains à son
680 corsage, renversée en arrière pour reprendre haleine. Et Hector la trouvait adorable ainsi, décoiffée, l'air hardi, avec son allure garçonnière. Cependant, le bateau était amarré, les pêcheurs montaient les paniers de sardines, qui avaient des reflets d'argent au soleil, des bleus et des roses de saphir et de rubis pâles.
685 Alors, le jeune homme fournissait toujours les mêmes explications : chaque panier contenait mille sardines, le mille valait un prix fixé chaque matin selon l'abondance de la pêche, les pêcheurs partageaient le produit de la vente, après avoir abandonné un tiers pour le propriétaire du bateau. Et il y avait
690 encore la salaison qui se faisait tout de suite, dans des caisses de bois percées de trous, pour laisser l'eau de la saumure s'égoutter. Cependant, peu à peu, Estelle et son compagnon négligèrent les sardines. Ils allaient encore les voir, mais ils ne les regardaient plus. Ils partaient en courant, revenaient avec
695 une lenteur lasse, en contemplant silencieusement la mer.

« Est-ce que la sardine est belle ? leur demandait chaque fois M. Chabre, au retour.

– Oui, très belle », répondaient-ils.

Enfin le dimanche soir, on avait à Piriac le spectacle d'un 700 bal en plein air. Les gars et les filles du pays, les mains nouées, tournaient pendant des heures, en répétant le même vers, sur le même ton sourd et fortement rythmé. Ces grosses voix, ronflant au fond du crépuscule, prenaient à la longue un charme barbare. Estelle, assise sur la plage, ayant à ses pieds 705 Hector, écoutait, se perdait bientôt dans une rêverie. La mer montait, avec un large bruit de caresse. On aurait dit une voix de passion, quand la vague battait le sable ; puis, cette voix s'apaisait tout d'un coup, et le cri se mourait avec l'eau qui se retirait, dans un murmure plaintif d'amour dompté. La 710 jeune femme rêvait d'être aimée ainsi, par un géant dont elle aurait fait un petit garçon.

« Tu dois t'ennuyer à Piriac, ma bonne », demandait parfois M. Chabre à sa femme.

Et elle se hâtait de répondre :

715 « Mais non, mon ami, je t'assure. »

Elle s'amusait, dans ce trou perdu. Les oies, les cochons, les sardines, prenaient une importance extrême. Le petit cimetière était très gai. Cette vie endormie, cette solitude peuplée seulement de l'épicier de Nantes et du notaire sourd de 720 Guérande, lui semblait plus tumultueuse que l'existence bruyante des plages à la mode. Au bout de quinze jours, M. Chabre, qui s'ennuyait à mourir, voulut rentrer à Paris. L'effet des coquillages, disait-il, devait être produit. Mais elle se récria.

725 « Oh ! mon ami, tu n'en as pas mangé assez… Je sais bien, moi, qu'il t'en faut encore. »

à suivre…

Repérer et analyser

L'action et le cadre

1 Où l'action se déroule-t-elle précisément ?

2 Quelles sont les occupations des vacanciers ? Celles des Chabre ? Caractérisez la vie que mènent les personnages.

3 **a.** Quel épisode est raconté dans le chapitre 2 ?
b. Quelle importance a-t-il pour l'évolution des relations entre les personnages ?

Le rythme

4 Relevez l'ellipse temporelle au début du chapitre 2. Quelle est la durée écoulée entre les chapitres 1 et 2 ?

5 **a.** Quelle scène le narrateur développe-t-il dans le chapitre 2 ? Quel en est le cadre ? À quel moment de la journée se déroule-t-elle ?
b. Qui sont les personnages présents dans cette scène ? Quels rôles jouent-ils ? Quel est celui qui est spectateur de la scène ?

6 Quelles sont les scènes sur lesquelles s'attarde le narrateur à partir de la ligne 604 ? Justifiez ce choix.

7 La fréquence

> Lorsque le narrateur raconte ce qui s'est passé une fois dans la fiction, il utilise le passé simple, temps des actions au premier plan. Lorsqu'il rapporte des actions qui se sont passées plusieurs fois, il utilise alors l'imparfait de répétition (temps de l'arrière-plan).

a. Quelles sont les actions qui se répètent dans le chapitre 3 ? Quel est le temps utilisé ?
b. Pour quelle raison le narrateur les mentionne-t-il ?

Les personnages

Le couple Chabre

8 Quels rapports M. et Mme Chabre entretiennent-ils ? Mme Chabre obéit-elle à son mari ? Comment le considère-t-elle ?

9 Quels aspects du tempérament d'Estelle s'affirment ici ?

Hector

10 Le parcours initiatique

On parle de parcours initiatique quand un personnage fait son apprentissage de la vie.

Relisez les lignes 373 à 404.

a. Relevez le contraste entre l'âge d'Hector (l. 383) et son physique (voir chapitre 1, l. 110 à 116). Comment est-il considéré par Mme Chabre quand elle apprend son âge ?

b. S'agit-il pour lui d'un parcours initiatique dans le domaine amoureux ?

Le naturalisme de Zola

Le symbolisme du paysage

Dans l'imaginaire de Zola, le personnage a tendance à ressembler au milieu (social ou naturel) qui l'entoure : le narrateur le décrit à l'aide de métaphores empruntées à ce milieu. Inversement, le milieu est souvent personnifié, c'est-à-dire qu'il revêt des caractères humains. Un autre trait caractéristique de la description chez Zola est d'établir des correspondances entre les règnes (animal, végétal, humain) et les choses.

11 La comparaison

La comparaison rapproche deux éléments, l'élément comparé (celui que l'on compare) à l'élément comparant (celui auquel on compare) en vertu d'un point commun que l'on veut faire ressortir. La comparaison est introduite par les outils « comme », « pareil à », « ressembler à »…

Relisez les lignes 345 à 349 (« La mer […] frisson des courants »).

a. À quoi la mer est-elle comparée ? À quel champ lexical et à quel règne les différents éléments comparants appartiennent-ils ?

b. La comparaison vous paraît-elle expressive et appropriée ?

12 Le paradoxe

Le paradoxe se présente comme une contradiction. Il est destiné à frapper les esprits, et peut contribuer à décrire un état d'âme.

a. Relevez les indices qui font du cimetière un lieu de vie. En quoi y a-t-il paradoxe ?

b. Quel état intérieur des personnages est traduit par cette présentation du cimetière ?

Le motif de l'eau

Le désir amoureux revêt chez Zola une dimension cosmique : l'auteur utilise l'image du soleil aveuglant (principe masculin) associée à celle de l'eau (principe féminin) et à celle de la terre (sable, poussière, boue...). Ces images se réfèrent aux mythes qui célèbrent le mariage du ciel et de la terre, elles sont symboles de fertilité.
Dans une lettre à un ami, Zola écrit qu'il travaille à une nouvelle « avec la mer pour principal personnage ».

13 **a.** Quels sont les rapports de chacun des personnages avec l'eau ? Justifiez votre réponse en citant le texte.
b. Quelle place l'eau prend-elle dans la troisième rencontre entre Estelle et Hector ?
14 **a.** L'eau est un élément de la séduction : en quoi rend-elle Estelle plus belle et plus séduisante ? Notez les détails donnés sur sa tenue, ses mouvements, ses attitudes.
b. À travers le regard de quel personnage le narrateur la dépeint-il ainsi ? Appuyez-vous sur les lignes 394 à 401.
15 Relisez les lignes 462 à 467 et 705 à 711. À quels indices voit-on que l'eau favorise la sensualité et le désir ?

Le symbolisme des choses

16 Relisez les lignes 447 à 456. Quel sens donnez-vous au geste d'Hector et à l'interprétation qu'en fait Estelle ? Commentez l'emploi des expressions « bouquet de mariée » et « poignée d'herbes ».

Le symbolisme animal

17 **a.** Relisez la scène du bain (chapitre 2) et relevez les métaphores animales se référant à Estelle, à M. Chabre, et aux herbes marines.
b. Quelle est leur signification ? Dites ce que symbolise le serpent.
18 **a.** Pour quelle raison Estelle se plaît-elle à regarder les oies et les cochons ? Quels traits leur prête-t-elle ?
b. En quoi le monde animal est-il une représentation de la société ? Que symbolise le fumier ?

Zola et la peinture

19 Relevez quelques passages dans lesquels le narrateur décrit le paysage ou les poissons à la manière d'un peintre impressionniste (taches de couleur et de lumière, mouvements).

La dimension comique

Le comique de gestes

Le comique de gestes concerne les postures, les accessoires.

20 **a.** Relevez les passages dans lesquels M. Chabre est présenté avec son inséparable ombrelle. Quels sont les éléments qui caractérisent cette ombrelle ? Quelles différentes postures M. Chabre prend-il ? Vous direz quelle image cet accessoire donne du personnage.
b. Relisez les dernières lignes du deuxième chapitre. Dans quelle situation et dans quelle posture M. Chabre se trouve-t-il ? Quel est l'effet produit ?

Le comique de caractère

21 **a.** M. Chabre se rend-il compte des agissements et des intentions de sa femme ? Justifiez votre réponse.
b. De quelle façon Mme Chabre se joue-t-elle de son mari ? Appuyez-vous notamment sur la dernière phrase du chapitre 3.
c. De quoi M. Chabre se nourrit-il exclusivement ? En quoi est-il ridicule ?
d. À partir de vos réponses, dites quels traits de caractère font de M. Chabre un personnage comique.

Le comique de situation

22 Pour quelle raison M. Chabre fait-il d'Hector un ami ? En quoi consiste le comique de la situation ?

23 **a.** Rappelez en quoi les coquillages ont motivé le voyage des Chabre en Bretagne.
b. Quel rôle jouent-ils dans le rapprochement d'Estelle et d'Hector ? D'où le comique vient-il ?

24 **a.** Relisez les lignes 412 à 415. Quel point de vue le narrateur adopte-t-il dans la première phrase ? En quoi le choix de ce point de vue contribue-t-il à ridiculiser le personnage de M. Chabre ?
b. En quoi l'expression « quelque saleté » (l. 296) est-elle drôle ?

La visée et les hypothèses de lecture

25 À quelle suite le lecteur peut-il s'attendre ?
26 Aux dépens de quel personnage le narrateur s'amuse-t-il ? Sur quoi le comique repose-t-il ?

Écrire

Décrire un lieu

27 Vous êtes dans un lieu familier (chambre, maison, jardin, rue…) à la tombée de la nuit. Décrivez la métamorphose des choses à la faveur de l'obscurité, en utilisant des comparaisons.

Enquêter

Repérer sur une carte

28 **a.** « Je ne suis jamais allé qu'une fois à Nantes », dit Hector. Hector, né à Guérande, a-t-il beaucoup voyagé ? Pour répondre, cherchez les deux villes sur une carte de Bretagne, puis situez Piriac.
b. Pour vous faire une idée de l'endroit où demeurent les Chabre, cherchez des photographies, anciennes ou récentes, de Piriac.

IV

Un soir, Hector dit au ménage :

« Nous aurons demain une grande marée... On pourrait aller pêcher des crevettes. »

730 La proposition parut ravir Estelle. Oui, oui, il fallait aller pêcher des crevettes ! Depuis longtemps, elle se promettait cette partie. M. Chabre éleva des objections. D'abord, on ne prenait jamais rien. Ensuite, il était plus simple d'acheter, pour une pièce de vingt sous, la pêche de quelque femme du pays, 735 sans se mouiller jusqu'aux reins et s'écorcher les pieds. Mais il dut céder devant l'enthousiasme de sa femme. Et les préparatifs furent considérables.

Hector s'était chargé de fournir les filets. M. Chabre, malgré sa peur de l'eau froide, avait déclaré qu'il serait de la partie ; 740 et, du moment qu'il consentait à pêcher, il entendait pêcher sérieusement. Le matin, il fit graisser une paire de bottes. Puis, il s'habilla entièrement de toile claire ; mais sa femme ne put obtenir qu'il négligeât son nœud de cravate, dont il étala les bouts, comme s'il se rendait à un mariage. Ce nœud était sa 745 protestation d'homme comme il faut contre le débraillé de l'Océan. Quant à Estelle, elle mit simplement son costume de bain, par-dessus lequel elle passa une camisole[1]. Hector, lui aussi, était en costume de bain.

Tous trois partirent vers deux heures. Chacun portait son 750 filet sur l'épaule. On avait une demi-lieue à marcher au milieu des sables et des varechs[2], pour se rendre à une roche où Hector disait connaître de véritables bancs de crevettes. Il conduisit le ménage, tranquille, traversant les flaques, allant droit devant lui sans s'inquiéter des hasards du chemin. Estelle 755 le suivait gaillardement[3], heureuse de la fraîcheur de ces

| **1.** Chemise. | **2.** Algues. | **3.** Avec entrain, bonne humeur.

terrains mouillés, dans lesquels ses petits pieds pataugeaient. M. Chabre, qui venait le dernier, ne voyait pas la nécessité de tremper ses bottes, avant d'être arrivé sur le lieu de la pêche. Il faisait avec conscience le tour des mares, sautait les ruis-
760 seaux que les eaux descendantes se creusaient dans le sable, choisissait les endroits secs, avec cette allure prudente et balancée d'un Parisien qui chercherait la pointe des pavés de la rue Vivienne, un jour de boue. Il soufflait déjà, il demandait à chaque instant :

765 « C'est donc bien loin, monsieur Hector ?... Tenez ! pourquoi ne pêchons-nous pas là ? Je vois des crevettes, je vous assure... D'ailleurs, il y en a partout dans la mer, n'est-ce pas ? et je parie qu'il suffit de pousser son filet.

– Poussez, poussez, monsieur Chabre », répondait Hector.

770 Et M. Chabre, pour respirer, donnait un coup de filet dans une mare grande comme la main. Il ne prenait rien, pas même une herbe, tant le trou d'eau était vide et clair. Alors, il se remettait en marche d'un air digne, les lèvres pincées. Mais, comme il perdait du chemin à vouloir prouver qu'il devait y
775 avoir des crevettes partout, il finissait par se trouver considérablement en arrière.

La mer baissait toujours, se reculait à plus d'un kilomètre des côtes. Le fond de galets et de roches se vidait, étalant à perte de vue un désert mouillé, raboteux[4], d'une grandeur
780 triste, pareil à un large pays plat qu'un orage aurait dévasté. On ne voyait, au loin, que la ligne verte de la mer, s'abaissant encore, comme si la terre l'avait bue ; tandis que des rochers noirs, en longues bandes étroites, surgissaient, allongeaient lentement des promontoires dans l'eau morte. Estelle, debout,
785 regardait cette immensité nue.

« Que c'est grand ! » murmura-t-elle.

4. Dont la surface n'est pas lisse.

Femme sur la plage posant avec son épuisette et son panier. Couverture du *Figaro illustré*, vers 1895-1900.

Hector lui désignait du doigt certains rochers, des blocs verdis, formant des parquets usés par la houle.

« Celui-ci, expliquait-il, ne se découvre que deux fois chaque mois. On va y chercher des moules… Apercevez-vous là-bas cette tache brune ? Ce sont les Vaches-Rousses, le meilleur endroit pour les homards. On les voit seulement aux deux grandes marées de l'année… Mais dépêchons-nous. Nous allons à ces roches dont la pointe commence à se montrer. »

Lorsque Estelle entra dans la mer, ce fut une joie. Elle levait les pieds très haut, les tapait fortement, en riant du rejaillissement de l'écume. Puis, quand elle eut de l'eau jusqu'aux genoux, il lui fallut lutter contre le flot ; et cela l'égayait de marcher vite, de sentir cette résistance, ce glissement rude et continu qui fouettait ses jambes.

« N'ayez pas peur, disait Hector, vous allez avoir de l'eau jusqu'à la ceinture, mais le fond remonte ensuite… Nous arrivons. »

Peu à peu, ils remontèrent en effet. Ils avaient traversé un petit bras de mer, et se trouvaient maintenant sur une large plaque de rochers que le flot découvrait. Lorsque la jeune femme se retourna, elle poussa un léger cri, tant elle était loin du bord. Piriac, tout là-bas, au ras de la côte, alignait les quelques taches de ses maisons blanches et la tour carrée de son église, garnie de volets verts. Jamais elle n'avait vu une pareille étendue, rayée sous le grand soleil par l'or des sables, la verdure sombre des algues, les tons mouillés et éclatants des roches. C'était comme la fin de la terre, le champ de ruines où le néant commençait.

Estelle et Hector s'apprêtaient à donner leur premier coup de filet, quand une voix lamentable se fit entendre. M. Chabre, planté au milieu du petit bras de mer, demandait son chemin.

« Par où passe-t-on ? criait-il. Dites, est-ce tout droit ? »

820 L'eau lui montait à la ceinture, il n'osait hasarder un pas, terrifié par la pensée qu'il pouvait tomber dans un trou et disparaître.

« À gauche ! » lui cria Hector.

Il avança à gauche ; mais, comme il enfonçait toujours, il 825 s'arrêta de nouveau, saisi, n'ayant même plus le courage de retourner en arrière. Il se lamentait.

« Venez me donner la main. Je vous assure qu'il y a des trous. Je les sens.

– À droite ! monsieur Chabre, à droite ! » cria Hector.

830 Et le pauvre homme était si drôle, au milieu de l'eau, avec son filet sur l'épaule et son beau nœud de cravate, qu'Estelle et Hector ne purent retenir un léger rire. Enfin, il se tira d'affaire. Mais il arriva très ému, et il dit d'un air furieux :

« Je ne sais pas nager, moi ! »

835 Ce qui l'inquiétait maintenant, c'était le retour. Quand le jeune homme lui eut expliqué qu'il ne fallait pas se laisser prendre sur le rocher par la marée montante, il redevint anxieux.

« Vous me préviendrez, n'est-ce pas ?

840 – N'ayez pas peur, je réponds de vous. »

Alors, ils se mirent tous les trois à pêcher. De leurs filets étroits, ils fouillaient les trous. Estelle y apportait une passion de femme. Ce fut elle qui prit les premières crevettes, trois grosses crevettes rouges, qui sautaient violemment au fond 845 du filet. Avec de grands cris, elle appela Hector pour qu'il l'aidât, car ces bêtes si vives l'inquiétaient ; mais, quand elle vit qu'elles ne bougeaient plus, dès qu'on les tenait par la tête, elle s'aguerrit[5], les glissa très bien elle-même dans le petit panier qu'elle portait en bandoulière. Parfois, elle amenait 850 tout un paquet d'herbes, et il lui fallait fouiller là-dedans,

5. S'endurcit, s'habitua.

lorsqu'un bruit sec, un petit bruit d'ailes, l'avertissait qu'il y avait des crevettes au fond. Elle triait les herbes délicatement, les rejetant par minces pincées, peu rassurée devant cet enchevêtrement d'étranges feuilles, gluantes et molles comme des poissons morts. De temps à autre, elle regardait dans son panier, impatiente de le voir se remplir.

« C'est particulier, répétait M. Chabre, je n'en pêche pas une. »

Comme il n'osait se hasarder entre les fentes des rochers, très gêné d'ailleurs par ses grandes bottes qui s'étaient emplies d'eau, il poussait son filet sur le sable et n'attrapait que des crabes, cinq, huit, dix crabes à la fois. Il en avait une peur affreuse, il se battait avec eux, pour les chasser de son filet. Par moments, il se retournait, regardait avec anxiété si la mer descendait toujours.

« Vous êtes sûr qu'elle descend ? » demandait-il à Hector.

Celui-ci se contentait de hocher la tête. Lui, pêchait en gaillard qui connaissait les bons endroits. Aussi, à chaque coup, amenait-il des poignées de crevettes. Quand il levait son filet à côté d'Estelle, il mettait sa pêche dans le panier de la jeune femme. Et elle riait, clignait les yeux du côté de son mari, posant un doigt sur ses lèvres. Elle était charmante, courbée sur le long manche de bois ou bien penchant sa tête blonde au-dessus du filet, tout allumée de la curiosité de savoir ce qu'elle avait pris. Une brise soufflait, l'eau qui s'égouttait des mailles s'en allait, en pluie, la mettait dans une rosée, tandis que son costume, s'envolant et plaquant sur elle, dessinait l'élégance de son fin profil.

Depuis près de deux heures, ils pêchaient ainsi, lorsqu'elle s'arrêta pour respirer un instant, essoufflée, ses petits cheveux fauves trempés de sueur. Autour d'elle, le désert restait immense, d'une paix souveraine ; seule, la mer prenait un frisson, avec une voix murmurante qui s'enflait. Le ciel, embrasé par le soleil de quatre heures, était d'un bleu pâle, presque gris ; et, malgré ce ton décoloré de fournaise, la chaleur ne se sentait pas, une fraîcheur montait de l'eau, balayait et blanchissait la clarté crue. Mais ce qui amusa Estelle, ce fut de voir à l'horizon, sur tous les rochers, une multitude de points qui se détachaient en noir, très nettement. C'étaient, comme eux, des pêcheurs de crevettes, d'une finesse de silhouette incroyable, pas plus gros que des fourmis, ridicules de néant dans cette immensité, et dont on distinguait les moindres attitudes, la ligne arrondie du dos, quand ils poussaient leurs filets, ou les bras tendus et gesticulants, pareils à des pattes fiévreuses de mouche, lorsqu'ils triaient leur pêche, en se battant contre les herbes et les crabes.

« Je vous assure qu'elle monte ! cria M. Chabre avec angoisse. Tenez ! ce rocher tout à l'heure était découvert.

– Sans doute elle monte, finit par répondre Hector impatienté. C'est justement lorsqu'elle monte qu'on prend le plus de crevettes. »

Mais M. Chabre perdait la tête. Dans son dernier coup de filet, il venait d'amener un poisson étrange, un diable de mer, qui le terrifiait, avec sa tête de monstre. Il en avait assez.

« Allons-nous-en ! Allons-nous-en ! répétait-il. C'est bête de faire des imprudences.

– Puisqu'on te dit que la pêche est meilleure quand la mer monte ! répondait sa femme.

– Et elle monte ferme ! » ajoutait à demi-voix Hector, les yeux allumés d'une lueur de méchanceté.

En effet, les vagues s'allongeaient, mangeaient les rochers avec une clameur plus haute. Des flots brusques envahissaient d'un coup toute une langue de terre. C'était la mer conquérante, reprenant pied à pied le domaine qu'elle balayait de sa houle depuis des siècles. Estelle avait découvert une mare plantée de longues herbes, souples comme des cheveux, et elle y prenait des crevettes énormes, s'ouvrant un sillon, laissant derrière elle la trouée d'un faucheur. Elle se débattait, elle ne voulait pas qu'on l'arrachât de là.

« Tant pis ! je m'en vais ! s'écria M. Chabre, qui avait des larmes dans la voix. Il n'y a pas de bon sens, nous allons tous y rester. »

Il partit le premier, sondant avec désespoir la profondeur des trous, à l'aide du manche de son filet. Quand il fut à deux ou trois cents pas, Hector décida enfin Estelle à le suivre.

« Nous allons avoir de l'eau jusqu'aux épaules, disait-il en souriant. Un vrai bain pour M. Chabre… Voyez déjà comme il enfonce ! »

Depuis le départ, le jeune homme avait la mine sournoise et préoccupée d'un amoureux qui s'est promis de lâcher une déclaration et qui n'en trouve pas le courage. En mettant des crevettes dans le panier d'Estelle, il avait bien tâché de rencontrer ses doigts. Mais, évidemment, il était furieux de son peu d'audace. Et M. Chabre se serait noyé, qu'il aurait trouvé cela charmant, car pour la première fois M. Chabre le gênait.

« Vous ne savez pas ? dit-il tout d'un coup, vous devriez monter sur mon dos, et je vous porterai… Autrement, vous allez être trempée… Hein ? montez donc ! »

Il lui tendait l'échine. Elle refusait, gênée et rougissante. Mais il la bouscula, en criant qu'il était responsable de sa santé. Et elle monta, elle posa les deux mains sur les épaules du jeune homme. Lui, solide comme un roc, redressant l'échine, semblait avoir un oiseau sur son cou. Il lui dit de bien se tenir, et s'avança à grandes enjambées dans l'eau.

« C'est à droite, n'est-ce pas ? monsieur Hector, criait la voix lamentable de M. Chabre, dont le flot battait déjà les reins.

– Oui, à droite, toujours à droite. »

Alors, comme le mari tournait le dos, grelottant de peur en sentant la mer lui monter aux aisselles, Hector se risqua, baisa une des petites mains qu'il avait sur les épaules. Estelle voulut les retirer, mais il lui dit de ne pas bouger, ou qu'il ne répondait de rien. Et il se remit à couvrir les mains de baisers. Elles étaient fraîches et salées, il buvait sur elles les voluptés amères de l'Océan.

« Je vous en prie, laissez-moi, répétait Estelle, en affectant un air courroucé. Vous abusez étrangement… Je saute dans l'eau, si vous recommencez. »

Il recommençait, et elle ne sautait pas. Il la serrait étroitement aux chevilles, il lui dévorait toujours les mains, sans dire une parole, guettant seulement ce qu'on voyait encore du dos de M. Chabre, un reste de dos tragique qui manquait de sombrer à chaque pas.

« Vous dites à droite ? implora le mari.

– À gauche, si vous voulez ! »

M. Chabre fit un pas à gauche et poussa un cri. Il venait de s'enfoncer jusqu'au cou, son nœud de cravate se noyait. Hector, tout à l'aise, lâcha son aveu.

« Je vous aime, madame…

– Taisez-vous, monsieur, je vous l'ordonne.

– Je vous aime, je vous adore… Jusqu'à présent, le respect m'a fermé la bouche… »

Il ne la regardait pas, il continuait ses longues enjambées, avec de l'eau jusqu'à la poitrine. Elle ne put retenir un grand rire, tant la situation lui sembla drôle.

« Allons, taisez-vous, reprit-elle maternellement, en lui donnant une claque sur l'épaule. Soyez sage et ne versez[6] pas surtout ! »

Cette claque remplit Hector d'enchantement : c'était signé. Et, comme le mari restait en détresse :

« Tout droit maintenant ! » lui cria gaiement le jeune homme.

6. Basculez, tombez.

Quand ils furent arrivés sur la plage, M. Chabre voulut commencer une explication.

« J'ai failli y rester, ma parole d'honneur ! bégaya-t-il. Ce sont mes bottes... »

Mais Estelle ouvrit son panier et le lui montra plein de crevettes.

« Comment ? tu as pêché tout ça ! s'écria-t-il stupéfait. Tu pêches joliment !

– Oh ! dit-elle, souriante, en regardant Hector, monsieur m'a montré. »

V

Les Chabre ne devaient plus passer que deux jours à Piriac. Hector semblait consterné, furieux et humble pourtant. Quand à M. Chabre, il interrogeait sa santé chaque matin et se montrait perplexe.

« Vous ne pouvez pas quitter la côte sans avoir vu les rochers du Castelli, dit un soir Hector. Il faudrait organiser pour demain une promenade. »

Et il donna des explications. Les rochers se trouvaient à un kilomètre seulement. Ils longeaient la mer sur une demi-lieue d'étendue, creusés de grottes, effondrés par les vagues. À l'entendre, rien n'était plus sauvage.

« Eh bien ! nous irons demain, finit par dire Estelle. La route est-elle difficile ?

– Non, il y a deux ou trois passages où l'on se mouille les pieds, voilà tout. »

Mais M. Chabre ne voulait plus même se mouiller les pieds. Depuis son bain de la pêche aux crevettes, il nourrissait contre la mer une rancune. Aussi se montra-t-il très hostile à ce projet de promenade. C'était ridicule d'aller se risquer ainsi ; lui, d'abord, ne descendrait pas au milieu de ces rochers, car il n'avait point envie de se casser les jambes, en sautant comme une chèvre ; il les accompagnerait par le haut de la falaise, s'il le fallait absolument ; et encore faisait-il là une grande concession.

1015 Hector, pour le calmer, eut une inspiration soudaine.

« Écoutez, dit-il, vous passerez devant le sémaphore[7] du Castelli. Eh bien ! vous pourrez entrer et acheter des coquillages aux hommes du télégraphe... Ils en ont toujours de superbes, qu'ils donnent presque pour rien.

1020 – Ça, c'est une idée, reprit l'ancien marchand de grains, remis en belle humeur... J'emporterai un petit panier, je m'en bourrerai encore une fois... »

Et, se tournant vers sa femme, avec une intention gaillarde :

« Dis, ce sera peut-être la bonne ! »

1025 Le lendemain, il fallut attendre la marée basse pour se mettre en marche. Puis, comme Estelle n'était pas prête, on s'attarda, on ne partit qu'à cinq heures du soir. Hector affirmait pourtant qu'on ne serait pas gagné par la haute mer. La jeune femme avait ses pieds nus dans des bottines de coutil[8].
1030 Elle portait gaillardement une robe de toile grise, très courte, qu'elle relevait et qui découvrait ses fines chevilles. Quant à M. Chabre, il était correctement en pantalon blanc et en paletot[9] d'alpaga[10]. Il avait pris son ombrelle et il tenait un petit panier, de l'air convaincu d'un bourgeois parisien allant
1035 faire lui-même son marché.

La route fut pénible pour arriver aux premières roches. On marchait sur une plage de sable mouvant, dans laquelle les pieds entraient. L'ancien marchand de grains soufflait comme un bœuf.

1040 « Eh bien ! je vous laisse, je monte là-haut, dit-il enfin.

7. Sorte de phare situé sur le littoral.
8. Tissu de coton.
9. Veste.
10. Tissu de qualité qui provient du pelage de l'alpaga, espèce de lama.

– C'est cela, prenez ce sentier, répondit Hector. Plus loin, vous seriez bloqué… Vous ne voulez pas qu'on vous aide ? »

Et ils le regardèrent gagner le sommet de la falaise. Lorsqu'il y fut, il ouvrit son ombrelle et balança son panier en criant :

45 « J'y suis, on est mieux là !… Et pas d'imprudence, n'est-ce pas ? D'ailleurs, je vous surveille. »

Hector et Estelle s'engagèrent au milieu des roches. Le jeune homme, chaussé de hautes bottines, marchait le premier, sautait de pierre en pierre avec la grâce forte et l'adresse d'un

50 chasseur de montagnes. Estelle, très hardie, choisissait les mêmes pierres ; et lorsqu'il se retournait, pour lui demander :

« Voulez-vous que je vous donne la main ?

– Mais non, répondait-elle. Vous me croyez donc une grand-mère ! »

55 Ils étaient alors sur un vaste parquet de granit, que la mer avait usé, en le creusant de sillons profonds. On aurait dit les arêtes de quelque monstre perçant le sable, mettant au ras du sol la carcasse de ses vertèbres disloquées. Dans les creux, des filets d'eau coulaient, des algues noires retom-

60 baient comme des chevelures. Tous deux continuaient à sauter, restant en équilibre par instants, éclatant de rire quand un caillou roulait.

« On est comme chez soi, répétait gaiement Estelle. On les mettrait dans son salon, vos rochers !

65 – Attendez, attendez ! disait Hector. Vous allez voir. »

Ils arrivaient à un étroit passage, à une sorte de fente, qui bâillait entre deux énormes blocs. Là, dans une cuvette, il y avait une mare, un trou d'eau qui bouchait le chemin.

« Mais jamais je ne passerai ! » s'écria la jeune femme.

70 Lui, proposa de la porter. Elle refusa d'un long signe de tête : elle ne voulait plus être portée. Alors, il chercha partout de grosses pierres, il essaya d'établir un pont. Les pierres glissaient, tombaient au fond de l'eau.

« Donnez-moi la main, je vais sauter », finit-elle par dire,
1075 prise d'impatience.

Et elle sauta trop court, un de ses pieds resta dans la mare. Cela les fit rire. Puis, comme ils sortaient de l'étroit passage, elle laissa échapper un cri d'admiration.

Une crique se creusait, emplie d'un écroulement gigantesque
1080 de roches. Des blocs énormes se tenaient debout, comme des sentinelles avancées, postées au milieu des vagues. Le long des falaises, les gros temps avaient mangé la terre, ne laissant que les masses dénudées du granit; et c'étaient des baies enfoncées entre des promontoires, des détours brusques déroulant
1085 des salles intérieures, des bancs de marbre noirâtre allongés sur le sable, pareils à de grands poissons échoués. On aurait dit une ville cyclopéenne prise d'assaut et dévastée par la mer, avec ses remparts renversés, ses tours à demi démolies, ses édifices culbutés les uns sur les autres. Hector fit visiter à la
1090 jeune femme les moindres recoins de cette ruine des tempêtes. Elle marchait sur des sables fins et jaunes comme une poudre d'or, sur des galets que des paillettes de mica allumaient au soleil, sur des éboulements de rocs où elle devait par moments s'aider de ses deux mains, pour ne pas rouler dans les trous.
1095 Elle passait sous des portiques naturels, sous des arcs de triomphe qui affectaient le plein cintre de l'art roman et l'ogive élancée de l'art gothique. Elle descendait dans des creux pleins de fraîcheur, au fond de déserts de dix mètres carrés, amusée par les chardons bleuâtres et les plantes grasses d'un vert
1100 sombre qui tachaient les murailles grises des falaises, intéressée par des oiseaux de mer familiers, de petits oiseaux bruns, volant à la portée de sa main, avec un léger cri cadencé et continu. Et ce qui l'émerveillait surtout, c'était, du milieu des roches, de se retourner et de retrouver toujours la mer,
1105 dont la ligne bleue reparaissait et s'élargissait entre chaque bloc, dans sa grandeur tranquille.

« Ah ! vous voilà ! cria M. Chabre du haut de la falaise. J'étais inquiet, je vous avais perdus... Dites donc, c'est effrayant, ces gouffres ! »

Il était à six pas du bord, prudemment, abrité par son ombrelle, son panier passé au bras. Il ajouta :

« Elle monte joliment vite, prenez garde !

– Nous avons le temps, n'ayez pas peur », répondit Hector.

Estelle, qui s'était assise, restait sans paroles devant l'immense horizon. En face d'elle, trois piliers de granit, arrondis par le flot, se dressaient, pareils aux colonnes géantes d'un temple détruit. Et, derrière, la haute mer s'étendait sous la lumière dorée de six heures, d'un bleu de roi pailleté d'or. Une petite voile, très loin, entre deux des piliers, mettait une tache d'un blanc éclatant, comme une aile de mouette rasant l'eau. Du ciel pâle, la sérénité prochaine du crépuscule tombait déjà. Jamais Estelle ne s'était sentie pénétrée d'une volupté si vaste et si tendre.

« Venez », lui dit doucement Hector, en la touchant de la main.

Elle tressaillit, elle se leva, prise de langueur et d'abandon.

« C'est le sémaphore, n'est-ce pas, cette maisonnette avec ce mât ? cria M. Chabre. Je vais chercher des coquillages je vous rattraperai. »

Alors, Estelle, pour secouer la paresse molle dont elle était envahie, se mit à courir comme une enfant. Elle enjambait les flaques, elle s'avançait vers la mer, saisie du caprice de monter au sommet d'un entassement de rocs, qui devait former une île, à marée haute. Et, lorsque, après une ascension laborieuse au milieu des crevasses, elle atteignit le sommet, elle se hissa sur la pierre la plus élevée, elle fut heureuse de dominer la dévastation tragique de la côte. Son mince profil se détachait dans l'air pur, sa jupe claquait au vent ainsi qu'un drapeau.

1140 Et, en redescendant, elle se pencha sur tous les trous qu'elle rencontra. C'étaient, dans les moindres cavités, de petits lacs tranquilles et dormants, des eaux d'une limpidité parfaite, dont les clairs miroirs réfléchissaient le ciel. Au fond, des herbes d'un vert d'émeraude plantaient des forêts roman-
1145 tiques. Seuls, de gros crabes noirs sautaient, pareils à des grenouilles, et disparaissaient, sans même troubler l'eau. La jeune femme restait rêveuse, comme si elle eût fouillé du regard des pays mystérieux, de vastes contrées inconnues et heureuses.

1150 Quand ils furent revenus au pied des falaises, elle s'aperçut que son compagnon avait empli son mouchoir d'arapèdes.

« C'est pour M. Chabre, dit-il. Je vais les lui monter. »

Justement, M. Chabre arrivait désolé.

« Ils n'ont pas seulement une moule au sémaphore, cria-
1155 t-il. Je ne voulais pas venir, j'avais raison. »

Mais, lorsque le jeune homme lui eut montré de loin les arapèdes, il se calma. Et il resta stupéfié de l'agilité avec laquelle celui-ci grimpait, par un chemin connu de lui seul, le long d'une roche qui semblait lisse comme une muraille. La
1160 descente fut plus audacieuse encore.

« Ce n'est rien, disait Hector, un vrai escalier ; seulement, il faut savoir où sont les marches. »

M. Chabre voulait qu'on retournât en arrière, la mer devenait inquiétante. Et il suppliait sa femme de remonter au
1165 moins, de chercher un petit chemin commode. Le jeune homme riait, en répondant qu'il n'y avait point de chemin pour les dames, qu'il fallait maintenant aller jusqu'au bout. D'ailleurs, ils n'avaient pas vu les grottes. Alors, M. Chabre dut se remettre à suivre la crête des falaises. Comme le soleil
1170 se couchait, il ferma son ombrelle et s'en servit en guise de canne. De l'autre main, il portait son panier d'arapèdes.

« Vous êtes lasse ? demanda doucement Hector.

– Oui, un peu », répondit Estelle.

Elle accepta son bras. Elle n'était point lasse, mais un abandon délicieux l'envahissait de plus en plus. L'émotion qu'elle venait d'éprouver, en voyant le jeune homme suspendu au flanc des roches, lui avait laissé un tremblement intérieur. Ils s'avancèrent avec lenteur sur une grève ; sous leurs pieds, le gravier, fait de débris de coquillages, criait comme dans les allées d'un jardin ; et ils ne parlaient plus. Il lui montra deux larges fissures, le *Trou du Moine Fou* et la *Grotte du Chat*. Elle entra, leva les yeux, eut seulement un petit frisson. Quand ils reprirent leur marche, le long d'un beau sable fin, ils se regardèrent, ils restèrent encore muets et souriants. La mer montait, par courtes lames bruissantes, et ils ne l'entendaient pas. M. Chabre, au-dessus d'eux, se mit à crier, et ils ne l'entendirent pas davantage.

« Mais c'est fou ! répétait l'ancien marchand de grains, en agitant son ombrelle et son panier d'arapèdes. Estelle !... monsieur Hector !... Écoutez donc ! Vous allez êtres gagnés ! Vous avez déjà les pieds dans l'eau ! »

Eux ne sentaient point la fraîcheur des petites vagues.

« Hein ? qu'y a-t-il ? finit par murmurer la jeune femme.

– Ah ! c'est vous, monsieur Chabre ! dit le jeune homme. Ça ne fait rien, n'ayez pas peur... Nous n'avons plus à voir que la *Grotte à Madame*. »

M. Chabre eut un geste de désespoir, en ajoutant :

« C'est de la démence ! Vous allez vous noyer. »

Ils ne l'écoutaient déjà plus. Pour échapper à la marée croissante, ils s'avancèrent le long des rochers, et arrivèrent enfin à la *Grotte à Madame*. C'était une excavation creusée dans un bloc de granit, qui formait promontoire. La voûte, très élevée, s'arrondissait en large dôme. Pendant les tempêtes, le travail des eaux avait donné aux murs un poli et un luisant d'agate. Des veines roses et bleues, dans la pâte sombre du roc, dessinaient des arabesques d'un goût magnifique et barbare, comme si des artistes sauvages eussent décoré cette salle de bains des reines de la mer. Les graviers du sol, mouillés encore, gardaient une transparence qui les faisait ressembler à un lit de pierres précieuses. Au fond, il y avait un banc de sable, doux et sec, d'un jaune pâle, presque blanc.

Estelle s'était assisse sur le sable. Elle examinait la grotte.

« On vivrait là », murmura-t-elle.

Mais Hector, qui paraissait guetter la mer depuis un instant, affecta brusquement une consternation.

« Ah ! mon Dieu ! nous sommes pris ! Voilà le flot qui nous a coupé le chemin… Nous en avons pour deux heures à attendre. »

Il sortit, chercha M. Chabre, en levant la tête. M. Chabre était sur la falaise, juste au-dessus de la grotte, et quand le jeune homme lui eut annoncé qu'ils étaient bloqués :

« Qu'est-ce que je vous disais ? cria-t-il triomphalement, mais vous ne voulez jamais m'écouter… Y a-t-il quelque danger ?

– Aucun, répondit Hector. La mer n'entre que de cinq ou six mètres dans la grotte. Seulement, ne vous inquiétez pas, nous ne pourrons en sortir avant deux heures. »

M. Chabre se fâcha. Alors, on ne dînerait pas ? Il avait déjà faim, lui ! c'était une drôle de partie tout de même ! Puis, en grognant, il s'assit sur l'herbe courte, il mit son ombrelle à sa gauche et son panier d'arapèdes à sa droite.

« J'attendrai, il le faut bien ! cria-t-il. Retournez auprès de ma femme, et tâchez qu'elle ne prenne pas froid. »

Dans la grotte, Hector s'assit près d'Estelle. Au bout d'un silence, il osa s'emparer d'une main qu'elle ne retira pas. Elle regardait au loin. Le crépuscule tombait, une poussière d'ombre pâlissait peu à peu le soleil mourant. À l'horizon, le ciel prenait une teinte délicate, d'un violet tendre, et la mer s'étendait, lentement assombrie, sans une voile. Peu à peu, l'eau entrait dans la grotte, roulant avec un bruit doux les graviers transparents. Elle y apportait les voluptés du large, une voix caressante, une odeur irritante, chargée de désirs.

« Estelle, je vous aime », répétait Hector, en lui couvrant les mains de baisers.

Elle ne répondait pas, étouffée, comme soulevée par cette mer qui montait. Sur le sable fin, à demi couchée maintenant, elle ressemblait à une fille des eaux, surprise et déjà sans défense.

Et, brusquement, la voix de M. Chabre leur arriva, légère, aérienne.

Le cap Fréhel (Côtes-d'Armor): le phare et les falaises, vers 1950.

« Vous n'avez pas faim ? Je crève, moi !... Heureusement que j'ai mon couteau. Je prends un acompte, vous savez, je mange les arapèdes. »

« Je vous aime, Estelle », répétait toujours Hector, qui la
1255 tenait à pleins bras.

La nuit était noire, la mer blanche éclairait le ciel. À l'entrée de la grotte, l'eau avait une longue plainte, tandis que, sous la voûte, un dernier reste de jour venait de s'éteindre. Une odeur de fécondité montait des vagues vivantes. Alors,
1260 Estelle laissa lentement tomber sa tête sur l'épaule d'Hector. Et le vent du soir emporta des soupirs.

En haut, à la clarté des étoiles, M. Chabre mangeait ses coquillages, méthodiquement. Il s'en donnait une indigestion, sans pain, avalant tout.

VI

1265 Neuf mois après son retour à Paris, la belle Mme Chabre accouchait d'un garçon. M. Chabre, enchanté, prenait à part le docteur Guiraud, et lui répétait avec orgueil :

« Ce sont les arapèdes, j'en mettrais la main au feu !... Oui, tout un panier d'arapèdes que j'ai mangés un soir, oh ! dans
1270 une circonstance bien curieuse... N'importe, docteur, jamais je n'aurais pensé que les coquillages eussent une pareille vertu. »

Émile Zola, « Les Coquillages de M. Chabre », nouvelle publiée en 1883 dans la revue *Le Messager de l'Europe*.

Repérer et analyser

La progression de l'action et la chute

1 Comparez les deux scènes successivement développées par le narrateur dans les chapitres 4 et 5.

a. Quel est à chaque fois le but de la promenade ? Qui la propose ?

b. Quelles sont à chaque fois les réactions de M. Chabre à l'idée de sortir ? Quels arguments oppose-t-il ? Voyez les lignes 732 à 737 et 1006 à 1014.

c. Quelle est l'heure de départ ? Quel est l'état des lieux à traverser ? La mer est-elle montante ? descendante ?

d. Comment M. Chabre est-il constamment tenu à l'écart ?

2 Quelles sont les étapes de l'idylle entre Estelle et Hector dans ces scènes ?

3 La chute

> Le court récit qu'est la nouvelle, qui rassemble peu de personnages et concentre l'action sur quelques événements clés, s'achève sur ce qu'on appelle la chute, c'est-à-dire sur quelques lignes qui produisent un effet (surprise, rire, horreur…) sur le lecteur.

a. Quelle est la chute de la nouvelle ?

b. Finalement, M. Chabre a-t-il compris ce qui s'est déroulé sous ses yeux ?

Les personnages

4 Montrez que l'opposition entre le mari et la femme s'accentue dans les chapitres 4 et 5.

5 **a.** Comment Hector évolue-t-il ? Quels reproches se fait-il ?

b. Comment traite-t-il progressivement M. Chabre ?

c. Précisez tout ce qui le différencie de M. Chabre.

6 **a.** Comment Mme Chabre accueille-t-elle les avances d'Hector ? Se montre-t-elle consentante ? Est-elle sincère ?

b. Par quel moyen joue-t-elle sans cesse de sa séduction ?

Le naturalisme de Zola

Le symbolisme du paysage

7 Relisez les lignes 1055 à 1068 et 1079 à 1094.

a. Relevez le lexique de la dégradation dans la description du paysage.

b. Quelle est la couleur évoquée par deux fois ? Quel suffixe lui est ajouté à la deuxième occurrence ?

c. En quoi l'amour des amants peut-il être en rapport avec ce paysage ?

8 Comparez avec les lignes 1095 à 1106.

a. Quelle image est ici donnée du paysage ?

b. Quel état traduit-il ?

Le motif de l'eau

9 **a.** Montrez en citant quelques exemples que l'eau est omniprésente.

b. De quoi est-elle le symbole ?

c. Étudiez, en vous appuyant sur le texte, la manière dont l'auteur établit un lien entre la montée de la mer et l'intimité grandissante des amants (chapitre 5).

10 Les sensations

Les descriptions font appel aux différentes sensations : visuelles (lumières, couleurs), auditives (bruits, silences), olfactives (odeurs), tactiles (toucher, notations thermiques), gustatives (goûts, saveurs).

a. Étudiez le rôle des sensations dans la description de la mer et dans l'abandon d'Estelle à la fin de la nouvelle. Appuyez-vous notamment sur les lignes 1239 à 1248.

b. Quelle est l'atmosphère créée ?

11 La présence et le spectacle de la mer incitent à l'amour. Relevez des passages du texte qui illustrent cette idée.

12 Que représente symboliquement la grotte marine pour les amants ?

Les quatre éléments, les trois règnes, les cinq sens

Zola a le souci de dépeindre la nature, ici la mer, dans ses relations avec les autres éléments (les quatre éléments sont l'air, la terre, le feu, l'eau) et avec les trois règnes qui la composent (animal, minéral, végétal). Cet environnement a une influence sur les sensations des personnages.

13 **a.** Relisez les lignes 1079 à 1123. Quels éléments du paysage sont décrits par le narrateur ?
b. Relisez les lignes 1097 à 1106. Montrez que les trois règnes sont présents. Quelles sont les sensations évoquées ? En quoi le paysage est-il en accord avec ce que ressent Estelle ?
c. « Une petite voile, très loin, entre deux des piliers, mettait une tache d'un blanc éclatant, comme une aile de mouette rasant l'eau » (l. 1118 à 1120). Étudiez les termes de la comparaison et le mélange des règnes.

Zola et la peinture

14 Relevez quelques passages descriptifs où la technique d'un peintre impressionniste est utilisée (accent mis sur les couleurs, les lumières, les reflets). Appuyez-vous par exemple sur les lignes 1114 à 1123 ou 1140 à 1149.

La dimension comique

Le comique de gestes

15 **a.** En quoi M. Chabre est-il ridicule quand il part à la pêche ? Sa tenue est-elle appropriée ?
b. Relevez quelques passages dans lesquels il est comique par sa façon de marcher, de pêcher.
c. Quels accessoires contribuent au comique ?

16 Le regard du narrateur

Bien que tenu en dehors des événements, le narrateur laisse néanmoins sentir sa présence tout au long du récit en émettant des commentaires.

Relisez les lignes 820 à 838, et relevez un commentaire du narrateur qui souligne l'allure comique du personnage.

Le comique de caractère

17 Montrez en citant le texte que M. Chabre se montre peu courageux et qu'il a peur de l'eau. À quoi aspire-t-il au cours de ces promenades ?

Le comique de situation

18 Le procédé du contrepoint

On parle de contrepoint dans le récit lorsque l'auteur superpose simultanément plusieurs motifs ou situations indépendants les uns des autres.

La scène d'amour dans la grotte est construite sur un contrepoint comique : lequel ? Pour répondre, dites ce que fait M. Chabre pendant ce temps. Où se trouve-t-il ? Quels sont ses propos ?

La visée

19 **a.** Comment le lecteur réagit-il aux paroles de M. Chabre qui clôturent la nouvelle ? Les coquillages lui ont-ils finalement été bénéfiques ?
b. Dans cette histoire d'infidélité, à qui va la sympathie de l'auteur ? celle du lecteur ?

Écrire

Imaginer une suite

20 Imaginez ce qu'est devenue cette histoire d'amour après les vacances.
21 Une fois rentré de Piriac, M. Chabre raconte son voyage à son voisin. Vous mettrez en évidence, de façon comique si possible, son incompréhension et son aveuglement.

Se documenter

Un *topos* littéraire : le mari ridicule

On appelle *topos* (*topoï* au pluriel) un motif, un personnage ou une situation que l'on retrouve dans différentes œuvres littéraires. On peut citer par exemple le thème de l'île déserte et du naufrage, le thème du duel, ou encore la scène de première vue (voir p. 94) et le personnage du mari ridicule comme ici. Ces *topoï* présentent des variantes en fonction de l'auteur, de sa culture, de l'époque de son œuvre et du genre du texte : ainsi on peut suivre la trace du *topos* du combat depuis *La Chanson de Roland* jusqu'au *gun fight* final du western, ou celui de la première vue depuis *Tristan et Iseult* jusqu'à aujourd'hui.

Le personnage du mari ridicule est fréquent au théâtre, en particulier quand il s'agit du mariage d'un barbon (vieillard ennuyeux) et d'une jeune fille. *L'Avare*, *L'École des femmes* de Molière au XVIIe siècle, *Le Barbier de Séville* de Beaumarchais au XVIIIe siècle, présentent ce type de situation. Jaloux, méfiant, aveugle, le mari ou le futur mari est ridicule et constitue comme ici un ressort comique.

Le trio du mari, de la femme et de l'amant est un *topos* que l'on rencontre dans les scènes de vaudeville (pièce de théâtre légère et comique) mais aussi dans des œuvres où, loin d'être comique, il tourne au drame, comme dans *Un mariage d'amour* et *Thérèse Raquin* de Zola, ou encore *Madame Bovary* de Flaubert.

Nouvelle 4

Le Grand Michu

I

Une après-midi, à la récréation de quatre heures, le grand Michu me prit à part, dans un coin de la cour. Il avait un air grave qui me frappa d'une certaine crainte ; car le grand Michu était un gaillard, aux poings énormes, que, pour rien au monde, je n'aurais voulu avoir pour ennemi.

– Écoute, me dit-il de sa voix grasse de paysan à peine dégrossi[1], écoute, veux-tu en être ?

Je répondis carrément : « Oui ! » flatté d'être de quelque chose avec le grand Michu. Alors, il m'expliqua qu'il s'agissait d'un complot. Les confidences qu'il me fit, me causèrent une sensation délicieuse, que je n'ai jamais peut-être éprouvée depuis. Enfin, j'entrais dans les folles aventures de la vie, j'allais avoir un secret à garder, une bataille à livrer. Et, certes, l'effroi inavoué que je ressentais à l'idée de me compromettre de la sorte, comptait pour une bonne moitié dans les joies cuisantes de mon nouveau rôle de complice.

Aussi, pendant que le grand Michu parlait, étais-je en admiration devant lui. Il m'initia d'un ton un peu rude, comme un conscrit[2] dans l'énergie duquel on a une médiocre confiance. Cependant, le frémissement d'aise, l'air d'extase enthousiaste que je devais avoir en l'écoutant, finirent par lui donner une meilleure opinion de moi.

Comme la cloche sonnait le second coup, en allant tous deux prendre nos rangs pour rentrer à l'étude :

– C'est entendu, n'est-ce pas ? me dit-il à voix basse. Tu es des nôtres... Tu n'auras pas peur, au moins ; tu ne trahiras pas ?

1. Encore rude et rustre.

2. Soldat débutant.

– Oh ! non, tu verras... C'est juré.

Il me regarda de ses yeux gris, bien en face, avec une vraie dignité d'homme mûr, et me dit encore :

30 – Autrement, tu sais, je ne te battrai pas, mais je dirai partout que tu es un traître, et personne ne te parlera plus.

Je me souviens encore du singulier effet que me produisit cette menace. Elle me donna un courage énorme. « Bast ! me disais-je, ils peuvent bien me donner deux mille vers[3] ; du 35 diable si je trahis Michu ! » J'attendis avec une impatience fébrile l'heure du dîner. La révolte devait éclater au réfectoire[4].

II

Le grand Michu était du Var. Son père, un paysan qui possédait quelques bouts de terre, avait fait le coup de feu en 51[5], lors de l'insurrection[6] provoquée par le coup d'État. Laissé 40 pour mort dans la plaine d'Uchâne, il avait réussi à se cacher. Quand il reparut, on ne l'inquiéta pas. Seulement, les autorités du pays, les notables, les gros et les petits rentiers ne l'appelèrent plus que ce brigand de Michu.

Ce brigand, cet honnête homme illettré, envoya son fils au 45 collège d'A... Sans doute il le voulait savant pour le triomphe de la cause qu'il n'avait pu défendre, lui, que les armes à la main. Nous savions vaguement cette histoire, au collège, ce qui nous faisait regarder notre camarade comme un personnage très redoutable.

50 Le grand Michu était, d'ailleurs, beaucoup plus âgé que nous. Il avait près de dix-huit ans, bien qu'il ne se trouvât encore qu'en quatrième. Mais on n'osait le plaisanter. C'était

3. Punition consistant à copier deux mille vers.
4. La nouvelle évoque des faits d'actualité : dans les années 1870, des révoltes scolaires ont éclaté dans plusieurs collèges et lycées de France.
5. Il s'était révolté pour défendre la République après le coup d'État de Napoléon III instituant le second Empire.
6. Soulèvement, révolte.

un de ces esprits droits, qui apprennent difficilement, qui ne devinent rien; seulement, quand il savait une chose, il la savait
55 à fond et pour toujours. Fort, comme taillé à coups de hache, il régnait en maître pendant les récréations. Avec cela, d'une douceur extrême. Je ne l'ai jamais vu qu'une fois en colère; il voulait étrangler un pion qui nous enseignait que tous les républicains étaient des voleurs et des assassins. On faillit
60 mettre le grand Michu à la porte.

Ce n'est que plus tard, lorsque j'ai revu mon ancien camarade dans mes souvenirs, que j'ai pu comprendre son attitude douce et forte. De bonne heure, son père avait dû en faire un homme.

III

65 Le grand Michu se plaisait au collège, ce qui n'était pas le moindre de nos étonnements. Il n'y éprouvait qu'un supplice dont il n'osait parler: la faim. Le grand Michu avait toujours faim.

Je ne me souviens pas d'avoir vu un pareil appétit. Lui qui
70 était très fier, il allait parfois jusqu'à jouer des comédies humiliantes pour nous escroquer un morceau de pain, un déjeuner ou un goûter. Élevé en plein air, au pied de la chaîne des Maures, il souffrait encore plus cruellement que nous de la maigre cuisine du collège.

75 C'était là un de nos grands sujets de conversation, dans la cour, le long du mur qui nous abritait de son filet d'ombre. Nous autres, nous étions des délicats. Je me rappelle surtout une certaine morue à la sauce rousse et certains haricots à la sauce blanche qui étaient devenus le sujet d'une malédiction
80 générale. Les jours où ces plats apparaissaient, nous ne tarissions pas. Le grand Michu, par respect humain, criait avec nous, bien qu'il eût avalé volontiers les six portions de sa table.

Le grand Michu ne se plaignait guère que de la quantité des
85 vivres. Le hasard, comme pour l'exaspérer, l'avait placé au
bout de la table, à côté du pion, un jeune gringalet[7] qui nous
laissait fumer en promenade. La règle était que les maîtres
d'étude avaient droit à deux portions. Aussi, quand on servait
des saucisses, fallait-il voir le grand Michu lorgner les deux
90 bouts de saucisses qui s'allongeaient côte à côte sur l'assiette
du petit pion.

– Je suis deux fois plus gros que lui, me dit-il un jour, et c'est
lui qui a deux fois plus à manger que moi. Il ne laisse rien,
va ; il n'en a pas de trop !

IV

95 Or, les meneurs avaient résolu que nous devions à la fin
nous révolter contre la morue à la sauce rousse et les haricots
à la sauce blanche.

Naturellement, les conspirateurs offrirent au grand Michu
d'être leur chef. Le plan de ces messieurs était d'une simpli-
100 cité héroïque : il suffirait, pensaient-ils, de mettre leur appétit
en grève, de refuser toute nourriture, jusqu'à ce que le proviseur déclarât solennellement que l'ordinaire serait amélioré.
L'approbation que le grand Michu donna à ce plan, est un
des plus beaux traits d'abnégation[8] et de courage que je
105 connaisse. Il accepta d'être le chef du mouvement, avec le
tranquille héroïsme de ces anciens Romains qui se sacrifiaient
pour la chose publique.

Songez donc ! lui se souciait bien de voir disparaître la
morue et les haricots ; il ne souhaitait qu'une chose, en avoir
110 davantage, à discrétion[9] ! Et, pour comble, on lui demandait
de jeûner ! Il m'a avoué depuis que jamais cette vertu

7. Homme petit, maigre et chétif.
8. Sacrifice de soi, dévouement.
9. À volonté.

républicaine que son père lui avait enseignée, la solidarité, le dévouement de l'individu aux intérêts de la communauté, n'avait été mise en lui à une plus rude épreuve.

115 Le soir, au réfectoire, – c'était le jour de la morue à la sauce rousse, – la grève commença avec un ensemble vraiment beau. Le pain seul était permis. Les plats arrivent, nous n'y touchons pas, nous mangeons notre pain sec. Et cela gravement, sans causer à voix basse, comme nous en avions l'habitude. Il n'y 120 avait que les petits qui riaient.

Le grand Michu fut superbe. Il alla, ce premier soir, jusqu'à ne pas même manger de pain. Il avait mis les deux coudes sur la table, il regardait dédaigneusement le petit pion qui dévorait.

125 Cependant, le surveillant fit appeler le proviseur, qui entra dans le réfectoire comme une tempête. Il nous apostropha rudement, nous demandant ce que nous pouvions reprocher à ce dîner, auquel il goûta et qu'il déclara exquis.

Alors le grand Michu se leva.

130 – Monsieur, dit-il, c'est la morue qui est pourrie, nous ne parvenons pas à la digérer.

– Ah ! bien, cria le gringalet de pion, sans laisser au proviseur le temps de répondre, les autres soirs, vous avez pourtant mangé presque tout le plat à vous seul.

135 Le grand Michu rougit extrêmement. Ce soir-là, on nous envoya simplement coucher, en nous disant que, le lendemain, nous aurions sans doute réfléchi.

V

Le lendemain et le surlendemain, le grand Michu fut terrible. Les paroles du maître d'étude l'avaient frappé au cœur. Il nous 140 soutint, il nous dit que nous serions des lâches si nous cédions. Maintenant, il mettait tout son orgueil à montrer que, lorsqu'il le voulait, il ne mangeait pas.

Le grand Michu à la cantine. Gravure in *Nouveaux Contes à Ninon*, éditions Fasquelle, première édition complète illustrée des œuvres de Zola (1906).

Ce fut un vrai martyr. Nous autres, nous cachions tous dans nos pupitres du chocolat, des pots de confiture, jusqu'à de la charcuterie, qui nous aidèrent à ne pas manger tout à fait sec le pain dont nous emplissions nos poches. Lui, qui n'avait pas un parent dans la ville, et qui se refusait d'ailleurs de pareilles douceurs, s'en tint strictement aux quelques croûtes qu'il put trouver.

Le surlendemain, le proviseur ayant déclaré que, puisque les élèves s'entêtaient à ne pas toucher aux plats, il allait cesser de faire distribuer du pain, la révolte éclata, au déjeuner. C'était le jour des haricots à la sauce blanche.

Le grand Michu, dont une faim atroce devait troubler la tête, se leva brusquement. Il prit l'assiette du pion, qui mangeait à belles dents, pour nous narguer et nous donner envie, la jeta au milieu de la salle, puis entonna la *Marseillaise*[10] d'une voix forte. Ce fut comme un grand souffle qui nous souleva tous. Les assiettes, les verres, les bouteilles, dansèrent une jolie danse. Et les pions, enjambant les débris, se hâtèrent de nous abandonner le réfectoire. Le gringalet, dans sa fuite, reçut sur les épaules un plat de haricots, dont la sauce lui fit une large collerette blanche.

Cependant, il s'agissait de fortifier la place. Le grand Michu fut nommé général. Il fit porter, entasser les tables devant les portes. Je me souviens que nous avions tous pris nos couteaux à la main. Et la *Marseillaise* tonnait toujours. La révolte tournait à la révolution. Heureusement, on nous laissa à nous-mêmes pendant trois grandes heures. Il paraît qu'on était allé chercher la garde. Ces trois heures de tapage suffirent pour nous calmer.

Il y avait au fond du réfectoire deux larges fenêtres qui donnaient sur la cour. Les plus timides, épouvantés de la

10. À l'époque, la *Marseillaise* est un chant révolutionnaire ; elle sera adoptée comme hymne national en 1879.

longue impunité dans laquelle on nous laissait, ouvrirent
175 doucement une des fenêtres et disparurent. Ils furent peu à peu suivis par les autres élèves. Bientôt le grand Michu n'eut plus qu'une dizaine d'insurgés autour de lui. Il leur dit alors d'une voix rude :

– Allez retrouver les autres, il suffit qu'il y ait un coupable.

180 Puis s'adressant à moi qui hésitais, il ajouta :

– Je te rends ta parole, entends-tu !

Lorsque la garde eut enfoncé une des portes, elle trouva le grand Michu tout seul, assis tranquillement sur le bout d'une table, au milieu de la vaisselle cassée. Le soir même, il fut
185 renvoyé à son père. Quant à nous, nous profitâmes peu de cette révolte. On évita bien pendant quelques semaines de nous servir de la morue et des haricots. Puis, ils reparurent ; seulement la morue était à la sauce blanche, et les haricots, à la sauce rousse.

VI

190 Longtemps après, j'ai revu le grand Michu. Il n'avait pu continuer ses études. Il cultivait à son tour les quelques bouts de terre que son père lui avait laissés en mourant.

– J'aurais fait, m'a-t-il dit, un mauvais avocat ou un mauvais médecin, car j'avais la tête bien dure. Il vaut mieux
195 que je sois un paysan. C'est mon affaire… N'importe, vous m'avez joliment lâché. Et moi qui justement adorais la morue et les haricots !

Émile Zola, « Le Grand Michu », nouvelle extraite des *Nouveaux Contes à Ninon*, 1874.

Questions

Repérer et analyser

Le narrateur

1 **a.** À quelle personne le récit est-il écrit ?
b. Qui est le narrateur ? Est-il est un personnage de l'histoire ?
2 Le récit rétrospectif

Le récit rétrospectif est un récit d'événements passés : le narrateur raconte après coup des événements qu'il a vécus ou dont il a été le témoin.
Le récit rétrospectif repose sur un va-et-vient temporel entre le moment du souvenir (aux temps du passé) et le moment de l'écriture (aux temps du présent). Les temps du passé s'organisent autour du passé simple (temps de référence utilisé avec l'imparfait, le plus-que-parfait…) ; les temps du présent s'organisent autour du présent (utilisé avec le passé composé, l'imparfait, le futur simple).

a. À quelle époque de la vie du narrateur les événements qu'il raconte ont-ils eu lieu ? Justifiez votre réponse.
b. À quel moment de sa vie les raconte-t-il ? Justifiez votre réponse.
c. Relevez les passages qui renvoient au moment de l'écriture. Quelle durée s'est approximativement écoulée entre le moment des événements et le moment de l'écriture ?

Le cadre

Le cadre spatio-temporel

3 **a.** Dans quelle région de France l'action se déroule-t-elle ?
b. Comment l'auteur désigne-t-il la ville où se passe l'histoire ? À votre avis, pourquoi utilise-t-il ce procédé, courant dans les romans du XIXe siècle ?
4 Situez l'époque de l'action à l'aide d'indices temporels.
5 **a.** Quel est le mot qui dès la première ligne précise le cadre dans lequel va se dérouler l'histoire ?
b. Relevez, dans le chapitre 1, le champ lexical qui se réfère à ce cadre.

Le cadre historique

6 Quel était le régime politique de la France de 1852 à 1870 ? Que s'est-il passé le 2 décembre 1852 ?
7 Qu'apprend-on du père de Michu ? De quel bord politique était-il ?

L'action et la progression du récit

8 **a.** Quel est le motif de la révolte ?
b. Qui en sont les acteurs ? Qui en sont les cibles ?
c. Combien de temps la révolte dure-t-elle ?
d. Quelles en sont les étapes ? À partir de quel moment la situation s'aggrave-t-elle ?

9 L'effet d'attente

Pour solliciter l'intérêt du lecteur pour l'histoire, l'auteur peut créer un effet d'attente.

a. Comment l'auteur crée-t-il un effet d'attente dans le chapitre 1 ?
b. À quel endroit du texte apprenons-nous réellement ce qui se passe ?

Les personnages

Le grand Michu

10 **a.** Relevez les mots et expressions qui permettent de dresser le portrait physique et moral du grand Michu.
b. Quelles valeurs morales son père lui a-t-il inculquées ?

11 **a.** En quoi le grand Michu se différencie-t-il de ses camarades (origines sociales et familiales, maturité) ?
b. Comment est-il considéré par l'institution scolaire ? par les autres élèves ?

12 **a.** Le grand Michu se sent-il concerné par le motif de la révolte ? Justifiez votre réponse.
b. Pourquoi accepte-t-il cette révolte jusqu'à en devenir le chef ? Citez le texte.
c. De quelle qualité fait-il preuve ?

Le narrateur et les autres élèves

13 **a.** Quels sentiments variés le narrateur éprouve-t-il pour le grand Michu ?
b. Que ressent-il quand le grand Michu l'invite à participer à la révolte ?

14 **a.** Pourquoi la grève de la faim est-elle plus difficile pour le grand Michu que pour les autres élèves ?

b. Est-ce que les motivations et les risques encourus sont les mêmes pour le grand Michu et pour ses camarades ?

15 Quelle est leur attitude quand les choses s'aggravent ?

Le regard du narrateur

Sur les acteurs de la révolte

16 Quel regard le narrateur porte-t-il sur lui-même, sur ses camarades, sur le grand Michu ? Citez le texte pour justifier votre réponse.

17 Relisez les lignes 108 à 111.

a. Par quel procédé le narrateur interpelle-t-il le lecteur ?

b. Identifiez le type de phrases utilisé. Quel sentiment le narrateur cherche-t-il à faire partager concernant l'attitude du grand Michu ?

Sur le père du grand Michu

18 Quel regard le narrateur porte-t-il sur le père de Michu ? Expliquez notamment l'expression « ce brigand, cet honnête homme » (l. 44), et dites qui porte respectivement ces jugements contradictoires.

Sur les événements

19 Relisez les lignes 154 à 163. Quel ton le narrateur adopte-t-il pour évoquer la révolte ?

Le naturalisme de Zola

L'amplification du réel

Zola transfigure souvent le réel en amplifiant la réalité. L'amplification est caractéristique des récits épiques qui racontent les exploits des héros. On peut l'employer de façon détournée pour créer des effets dramatiques ou comiques. Par exemple, raconter une promenade en forêt comme une expédition dans la jungle donnera une tonalité dramatique ou comique selon la visée de l'auteur.

20 **a.** À quoi Zola compare-t-il constamment la révolte ? Pour répondre, relevez le champ lexical dominant employé pour la préparation, la mise en route, les étapes de la révolte ; relevez également les mots employés pour désigner les collégiens et le grand Michu.

b. En quoi y a-t-il décalage entre les événements et le lexique utilisé ? Quel est l'effet produit ?

21 **a.** Dans quelles circonstances les collégiens chantent-ils la *Marseillaise* ?
b. Ce chant vous semble-t-il adapté à la situation ?
c. Expliquez à ce propos l'expression « la révolte tournait à la révolution » (l. 167-168).

L'influence du milieu, le déterminisme

Le naturalise zolien s'appuie sur une conception déterministe de la vie : les actions humaines s'expliquent par des causes, par des conditions qui les ont rigoureusement déterminées. Il n'y a pas d'effet sans cause, tout s'enchaîne, sans qu'il y ait de place pour la liberté ou le hasard.

22 Quelle explication, liée à son origine, le narrateur donne-t-il à l'appétit du grand Michu ?
23 **a.** En quoi le destin du grand Michu était-il prévisible ? Faites un retour sur votre lecture pour repérer les indices qui préparent l'issue de l'histoire : origines du héros, histoire de son père, position parmi les camarades...
b. Montrez que le grand Michu reproduit le destin de son père.

De la réalité au symbole

24 **a.** Relevez les détails et expressions par lesquels le narrateur grandit le personnage de Michu.
b. De quels personnages de l'Antiquité le narrateur le rapproche-t-il ? Justifiez ce rapprochement.
25 Comment le grand Michu vit-il la grève de la faim ? Quel mot le narrateur utilise-t-il pour traduire ce qu'il ressent ?
26 **a.** Finalement, la révolte a-t-elle abouti ? À quoi aura servi le sacrifice du grand Michu ?
b. Soulignez l'ironie du sort dans cette histoire.

La visée

27 Quelle critique sociale apparaît ici ? Quelle image le narrateur donne-t-il de l'institution scolaire ?
28 Quelles valeurs morales sont mises en évidence à travers le personnage du grand Michu ?

Écrire

Écrire un article de presse

29 Racontez cette histoire sous la forme d'un fait divers paru dans le journal local.

Écrire une lettre

30 Bien plus tard, le narrateur écrit une lettre au grand Michu : que pourrait-il lui dire ? Rédigez cette lettre.

Imaginer une autre fin

31 Imaginez une autre fin possible à partir de la ligne 181 (« Je te rends ta parole, entends-tu ! »). Rédigez-la en gardant la cohérence du récit.

Enquêter

Le courage des héros

32 Mucius Scaevola, à qui Zola compare peut-être Michu, était un jeune Romain de l'Antiquité (VIe siècle avant J.-C.) qui pénétra dans le camp de Porsenna, roi de Clusium, pour le tuer. Il fut découvert et, devant le roi, il mit sa main droite dans un brasier pour se punir d'avoir échoué et montrer sa détermination.
On peut trouver sans peine d'autres exemples de dévouement et de sacrifices héroïques réels ou fictifs. En connaissez-vous, dans les légendes et dans l'histoire, même récente ? Cherchez-les et racontez-les à la classe.

Le bouc émissaire

33 **a.** Qu'est-ce que le bouc émissaire dans la Bible ?
b. Le personnage de Michu vous semble-t-il être une représentation de ce symbole ?
c. Cherchez dans les romans ou dans les films des personnages qui apparaissent comme des victimes du destin.

Lire

Le chahut en littérature

34 Nombreux sont les romans, nouvelles, autobiographies qui évoquent le milieu scolaire. Le chahut en particulier est un motif (ou *topos*) courant.

Vous pouvez lire par exemple, parmi les romans du XIXe siècle :

- *Le Petit Chose* d'Alphonse Daudet, contemporain et ami de Zola ;
- *L'Enfant* de Jules Vallès ;
- *David Copperfield* de Charles Dickens.

Et, parmi les romans du XXe siècle :

- *Le Grand Meaulnes* d'Alain-Fournier ;
- *Le Temps des secrets* de Marcel Pagnol ;
- *La Guerre des boutons* de Louis Pergaud.

Questions de synthèse

Madame Sourdis et autres nouvelles

1 Remplissez le tableau suivant.

2 Quelle nouvelle préférez-vous ? Pourquoi ?

	Madame Sourdis
Nombre de chapitres	
Statut du narrateur	
– Point de vue dominant – Autre point de vue	
Incipit (entrée dans la nouvelle)	
Lieu principal de l'action	
Personnages principaux	
Les autres personnages, leurs rôles	
Situation initiale et situation finale (comparez)	
Événements principaux	
– Durée de l'action – Scènes importantes	
Les motifs du naturalisme de Zola	
L'esthétique picturale : couleurs, lumière… (donnez des exemples)	
L'esthétique visionnaire : symboles et personnifications	
L'image de la femme	
Titre de la nouvelle (justifiez le choix de l'auteur)	
Visée : valeurs mises en avant, critiques…	

Un mariage d'amour	Les Coquillages de M. Chabre	Le Grand Michu

Index des rubriques

Table des illustrations

Iconographie : Hatier Illustration/Brigitte Célérier
Graphisme : Mecano-Laurent Batard
Mise en page : Alinéa
Édition : Jeanne Boyer

Achevé d'imprimer par MAME Imprimeurs à Tours - France (n° 06012026) Dépôt légal n° 69715 - Mars 20